NEW 서울대 선정 인문고전 60선

10

존 S. 밀 **자유론**

NEW 서울대 선정 인문 고전 ⑩

만화 존 S. 밀 자유론

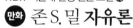

개정 1판 1쇄 발행 | 2019. 8. 21
개정 1판 3쇄 발행 | 2023. 8. 28

홍성자 글 | 이주한 그림 | 손영운 기획

발행처 김영사 | 발행인 고세규
등록번호 제 406-2003-036호 | 등록일자 1979. 5. 17.
주소 경기도 파주시 문발로 197 (우10881)
전화 마케팅부 031-955-3100 | 편집부 031-955-3113~20 | 팩스 031-955-3111

값은 표지에 있습니다.
ISBN 978-89-349-9435-0
ISBN 978-89-349-9425-1(세트)

좋은 독자가 좋은 책을 만듭니다. 김영사는 독자 여러분의 의견에 항상 귀 기울이고 있습니다.
전자우편 book@gimmyoung.com | 홈페이지 www.gimmyoungjr.com

이 도서의 국립중앙도서관 출판예정도서목록(CIP)은 서지정보유통지원시스템 홈페이지(http://seoji.nl.go.kr)와
국가자료종합목록시스템(http://www.nl.go.kr/kolisnet)에서 이용하실 수 있습니다. (CIP제어번호 : CIP2018042473)

어린이제품 안전특별법에 의한 표시사항

제품명 도서 제조년월일 2023년 8월 28일 제조사명 김영사 주소 10881 경기도 파주시 문발로 197
전화번호 031-955-3100 제조국명 대한민국 ⚠주의 책 모서리에 찍히거나 책장에 베이지 않게 조심하세요.

미래의 글로벌 리더들이 꼭 읽어야 할 인문고전을 만화로 만나다

NEW 서울대 선정 인문고전 60선

10

존 S. 밀 자유론

홍성자 글 · 이주한 그림

주니어김영사

| 기획에 부쳐 |

〈NEW 서울대 선정 인문고전60〉이 국민 만화책이 되기를 바라며

제가 대여섯 살 때 동네 골목 어귀에 어린이들에게 만화책을 빌려주는 좌판 만화 대여소가 있었습니다. 땅바닥에 두터운 검정 비닐을 깔고 그 위에 아이들이 좋아하는 만화책을 늘어놓았는데, 1원을 내면 낡은 만화책 한 권을 빌릴 수 있었지요. 저는 그곳에서 만화책을 보면서 한글을 깨쳤고 책과의 인연을 맺었습니다.

초등학교 때는 용돈을 아껴서 책을 사서 읽었고, 중학교 때는 학교 도서 반장을 맡아 도서관에서 매일 밤 10시까지 있으면서 참 많은 책을 읽었습니다. 그 무렵 헤밍웨이의《노인과 바다》를 손에 땀을 쥐며 읽으면서 인생에 대해 고민했고, 헤르만 헤세의《수레바퀴 아래서》를 읽으며 사춘기의 심란한 마음을 달랬습니다. 김래성의《청춘 극장》을 밤새워 읽는 바람에 다음 날 치르는 중간고사를 망치기도 했습니다.

당시 저의 꿈은 아주 큰 도서관을 운영하는 사람이 되어 온종일 책을 보면서 책을 쓰는 작가가 되는 것이었습니다. 나이가 들고 어느 정도 바라는 꿈을 이루었습니다. 큰 도서관은 아니지만 적당한 크기의 서점을 운영하고, 글을 쓰는 작가가 되었거든요. 저는 여기에 새로운 꿈을 하나 더 보탰습니다. 그것은 즐거운 마음과 힘찬 꿈을 가지게 해 주고, 나아가 자기 성찰을 도와주는 좋은 만화책을 만드는 일이었습니다. 이렇게 해서 만든 책이 바로 〈서울대 선정 인문고전〉입니다. 서울대학교 교수님들이 신입생과 청소년들이 꼭 읽어야 할 책으로 추천한 도서들 중에서 따로 60권을 골라 만화로 만든 것입니다. 인류 지성사의 금자탑이라고 할 수 있는 고전을 보기 편하고 이해하기 쉽도록 만화책으로 만드는 일은 쉬운 일은 아니었습니다. 약 4년 동안에 수십 명의 학교 선생님들과 전공 학자들이 원서의 내용을 정확하게 전달할 수 있도록 밑글을 쓰고, 수십 명의 만화가들이 고민에 고민을 거듭하면서 만화를 그려 60권의 책을 만들었습니다.

〈서울대 선정 인문고전〉이 완간되었을 무렵에 우리나라에 인문학 읽기 열풍이 불기 시작했습니다. 〈서울대 선정 인문고전〉은 인문학 열풍을 널리 퍼뜨리는 데 한몫을 하면서 독자들의 뜨거운 사랑과 관심을 받았습니다. 덕분에 지금까지 수백만 권이 팔리는 베스트셀러가 되었습니다. 그 사랑에 조금이나마 보답을 하기 위해 《칸트의 실천이성 비판》, 《미셸 푸코의 지식의 고고학》, 《이이의 성학집요》 등 우리가 꼭 읽어야 할 동서양의 고전 10권을 추가하여 만화로 만들었습니다.

〈서울대 선정 인문고전〉은 어린이와 청소년이 부모님과 함께 봐도 좋을 만화책입니다. 국민 배우, 국민 가수가 있듯이 〈서울대 선정 인문고전〉이 '국민 만화책'이 되길 큰마음으로 바랍니다.

손영운

《자유론》으로 200년 전의 사상가와 만나는 기쁨을!

살아가면서 멋진 사람을 만나고 그러한 사람과 교류하는 것은 큰 행운 중의 하나입니다. 그러나 그러한 일은 시간과 공간의 제약을 받는 일입니다. 지금 내 옆에서 살아가고 있는 사람이어야 하니까요. 그런데 시간과 공간을 뛰어넘는 방법들이 있습니다. 그중의 하나가 바로 책을 통해 만나는 일입니다.

밀은 《자유론》에서 모든 사람이 다른 사람의 자유로운 삶을 방해하지 않으면서 각자 자기 나름의 방식대로 다양한 삶을 꾸려 나가는 자유로운 사회를 꿈꾸었습니다. 그리고 그 출발점으로 생각의 자유가 보장되어야 한다고 생각했습니다. 생각의 자유란 남과 다른 의견, 다수와 다른 의견을 가지고 그것을 표현할 수 있는 자유입니다.

저는 여러분이 《자유론》을 읽으며 다음의 몇 가지를 마음에 새기면 좋겠습니다.

먼저, 자신이 틀림없이 옳을 것이라는 확신이 위험하다는 것을 알았으면 합니다. 사람은 누구나 자신의 경험과 생각이라는 좁은 틀 속에서 내린 판단임에도 자신이 옳다고 확신하는 경향이 있습니다. 그러한 잘못을 저지르는 것은 집단이나 시대도 마찬가지여서, 인류는 과거 역사에서 수많은 시행착오를 겪었지요. 밀은 나와 다른 의견, 다수와 다른 소수 의견이 옳을 수도 있다는 사실을 끊임없이 지적합니다. 따라서 다른 의견, 소수 의견을 억압하거나 무시하지 않는 자세가 필요하다는 점을 《자유론》 전체에서 강조하지요.

그러나 다른 의견, 소수의 의견이 옳을 수 있다는 것이 모든 의견은 옳다거나 모든 의견은 똑같이 중요하다는 의미는 아닙니다. 다른 의견, 소수 의견이 담고 있는 진리에 열린 마음으로 귀를 기울이라는 의미입니다. 그러한 과정 속에서 우리는 최선의 진리에 다가갈 수 있다고 강조하는 것이지요.

다음으로는, 내가 지금 누리는 자유의 세밀한 내용들이 이러한 앞선 사상가들의 고민에서 나온 것임을 잊지 말았으면 합니다. 내가 존엄한 존재로 대접받는 것, 평등한 존재로 당당하게 살아가는 것 등 지금은 당연한 것처럼 보이는 많은 것들이 새로운 시대를 열어 갔던 사상가들, 그리고 그것을 얻기 위해 노력했던 선구자들 덕분이니까요.

이 작업을 하면서 가능한 한 원전에 충실하도록 노력했습니다. 밀의 논리 전개를 따라가는 재미와 더불어 밀이 풍부하게 들어 주는 사례들을 살리고 싶었습니다. 따라서 원전의 전개 방식을 따르되, 원전의 '2장 생각과 토론의 자유' 부분은 3장부터 9장으로 소주제에 따라 나누어 구성했습니다.

만화로 나온 《자유론》은 다소 어렵고 접근하기 쉽지 않은 고전을 교실에서 수업하듯이 쉽게, 친근하게 전달하고 싶은 마음이 담긴 책입니다. 부디 이 책이 원전에 대한 관심과 용기를 키우는 징검다리 역할을 할 수 있기를 바랍니다. 더불어 이 책을 통해 여러분도 매력적인 사상가 존 스튜어트 밀과 그의 《자유론》을 맛보는 기쁨을 함께 누리길 기대해 봅니다.

홍성자

자유의 소중함을 느낄 수 있기를

화창한 봄날, 활짝 핀 교정의 꽃들을 바라보고 있으면 어딘가 모르게 답답함이 밀려옵니다. 그늘진 교실에서 턱을 괴고 어려운 수업을 듣고 있으면 저도 모르게 마음속으로 이렇게 외쳤습니다.

'아! 자유롭고 싶다! 지금 당장 나가서 롤러코스터를 타고 싶어! 오, 자유!'

그런데, 자유란 무엇일까요?

얼핏 생각하면 내 마음대로 행동하는 것으로 여길지 모르지만, 조금이라도 깊게 생각해 보면 자유라는 개념 이전에 속박과 억압이 먼저 있다는 것을 알 수 있을 겁니다. 누가 날 가두고 괴롭히기 때문에 거기에서 빠져나오고 싶은 것이지요. 그렇게 본다면 자유는 무책임한 방종이 아니라 정확한 원칙이 있는 일종의 계약이란 것을 알 수 있습니다.

존 스튜어트 밀은 이러한 자유라는 개념을 정확하게 짚어서 개인의 권리와 사회의 권리의 범위를 설정하려고 했습니다. 이러한 노력의 결정체가 바로 《자유론》입니다.

《자유론》에서는 개인의 자유, 즉 권리를 거의 최대한으로 설정해 놓고 있습니다. 모든 사람이 찬성하고 단 한 사람이 반대하더라도 그 사람의 반대를 묵살하면 안 된다고 역설하는 밀의 주장은 그가 살았던 당시의 여성 문제, 인권 문제, 종교 문제, 인종 문제에 혁신적인 대안을 제시한 것입니다.

지금의 사회는 많은 자유를 만끽하고 있습니다. 우리는 마음껏 쓰고, 말할 수 있는 자유가 있습니다. 하지만 마치 공기처럼 숨 쉬는 이런 자유가 사실은 수천 년의 역사 동안 지배 권력과의 투쟁 속에서 일구어 낸 것이라고 생각한다면 자유란 참 소중한 것이겠지요?

독자 여러분도 이 책을 읽다 보면 그동안 당연시 했던 자유의 소중한 개념을 다시 한 번 생각하게 될 것입니다.

'자유' 라는 보이지 않는 개념을 만화로 그리려다 보니 어려운 점이 많았습니다. 최대한 이해하기 쉽고 재미있게 그리려고 노력했습니다만 부족한 점이 많습니다. 많이 질책해 주시고 조언해 주시면 성실히 보완해 나가도록 하겠습니다.

그림을 그리면서 많은 도움을 받았습니다. 좋은 기회를 주신 김영사와 손영운 선생님, 글을 써 주신 홍성자 선생님, 못난 그림을 예쁘게 편집해 주시고 원고를 잘 다듬어 주신 출판사 식구들께도 감사드립니다. 아울러 작업을 도와준 스튜디오 식구들과 저를 여기까지 오도록 만들어 주신 부모님께 감사드립니다.

이주한

| 차 례 |

꿈틀~

헌법
뉴스
자유
언론

제1장 《자유론》은 어떤 책일까?

ON Liberty
자유!
자유
自由
멍!
《자유론》은 1859년 밀의 나이 53세 때 출판되었어.
자유론
밀의 자서전을 보면 《자유론》을 쓰게 된 경위가 소상하게 밝혀져 있지.
1854년에 《자유론》을 짧은 에세이로 집필한 적이 있었단다.
1855년 로마 의사당 돌계단을 올라가던 중 밀은 결심했어.
그래! 이것을 다시 써서 한 권의 책으로 만들어 보자!
이 작품만큼 주의 깊게 저술된 것은 없고 이만큼 엄밀하게 수정한 것도 없다.
고요~...
밀은 늘 하던 방식대로 원고를 두 번 다시 썼대.
먼저 원고를 끝까지 한 번 쓴 후
힘내라~...
필승
슥슥~
그것을 그대로 옆에 두고
무거워...

가끔 꺼내서 문장 하나하나를 다시 읽어 생각해 보고 비판하면서 다시 썼지.
검토 또 검토...
새로 전부 고쳐 썼다고?
1858년 겨울에서 1859년 겨울까지 아내와 마지막 수정 작업을 하기로 예정되어 있었지만
그 계획은 끝내 좌절되고 말았어.
밀은 "내 생애의 명예이자 최대의 축복이며 인류의 발전을 위하여 내가 지금까지 해 보려고 한, 그리고 앞으로 실현해 봤으면 하는 여러 가지 일들을 성취하게 한 근원인 사람을 잃어버렸다."며 비통해했지.
그 다음 해 2월 《자유론》이 세상에 나왔어.
이 논문을 출판해서 아내의 영전에 바치기로 마음먹었어!
On Liberty
《자유론》은 다른 어떤 책보다도 아내의 도움이 큰 작품이야.
저자 사인회
왜요?
왜냐하면 나와 아내의 생각을 구분할 수 없을 정도로 많은 영향을 받았기 때문이지.
그리고 다른 어떤 책보다도 오랜 생명을 가질 거라고 예견했어.
자유론
장수할 것이니라
밀은 친구이자 아내였던 해리엇 테일러에게 바치는 헌사에서 다음과 같이 말하고 있어.
진리와 정의에 대한 높은 식견과 고귀한 감정으로
나를 한없이 감화시켰던 사람.
칭찬 한마디로 나를 무척이나 기쁘게 해 주었던 사람.
내가 쓴 글 중에서 가장 뛰어나다고 할 수 있는 것은
모두 그녀의 영감에서 나온 것이기에
그런 글을 나와 같이 쓴 것이나 마찬가지인 사람.
함께 했던 사랑스럽고 아름다운 추억,
그리고 비통했던 순간을 그리며 나의 친구이자
아내였던 바로 그 사람에게 이 책을 바친다.
ON AIR

이런 사연을 간직한 이 책은 무슨 내용을 담고 있을까?
너무 쉬워 보이나?
《자유론》이니까 당연히 자유에 관한 얘기겠죠!
쉽게보면 큰코다쳐.
자유론
그럼 '자유'는 무엇일까? '자유가 필요해!', '자유롭게 살고 싶어!' 이런 말 한 적 있지?
당연하죠! 난 자유인인데.
Liberty
그 속에는 자유가 마음 내키는 대로 하는 것이라는 생각이 있지?
묻지 마세요! 내 생각도 자유니까요!
텅~
착각의 자유겠지! 마음 내키는 대로 사는 사람끼리 충돌하면 어쩌려고?
윽!!
슉
自由論
기자회견
이쯤에서 너희들에게 해야 할 말이 있는데… 들으면 흥분할지도 몰라.
흠…
J.S. MILL
쾅
미성년자는 자유를 누릴 자격이 없다!!!
애들은 가라!
Liberty
자유란 정신적으로 성숙한 사람, 성인에게만 원칙이 적용된다!
우리도 자유를 달라!
자유 자유 자
이 말씀!
훗…
내가 살던 당시엔 사회적 평등과 여론 정치가 발달하기 시작했는데
나는 그것이 인류에게 사상 및 행동의 획일화를 강요하게 될 거라고 염려했어.
여론과 관습을 앞세운 다수의 횡포가 인간성의 발전을 위축시킬 거라고 생각했지.
관습
여론

나는 다수의 횡포가 갖는 위험성을 이렇게 표현했어.
다수의 횡포展
개인의 사사로운 삶 구석 구석에 침투해 마침내 그 영혼까지 통제하면서 도저히 빠져나갈 틈을 주지 않는다.
多
사회는 이런 방법으로 다수의 삶과 일치하지 않는 개별성은 절대 발전하지 못하게 한다.
그리고 할 수만 있다면 아예 그 싹조차 트지 못하도록 막으면서 급기야는 모든 사람의 성격이나 개성을 사회의 표준에 맞도록 획일화시키려고 한다.
《자유론》의 교훈이 최대의 가치를 발휘하게 되는 것은 바로 이런 상황이야.
어때, 숨이 확 막히지?
예.
그리고 밀은 자유론의 교훈이 필요한 상황이 오래도록 지속될까 봐 염려했어.
속박을 깨뜨리자!
나도!
안타깝게도 자꾸만 삶의 모습이 표준화되고 획일화되면서
개인의 다양성이 위축되는 요즘 사회를 보면
다양성
내 염려가 맞아떨어진 것 같기도 하지?
전 미성년자의 자유를 염려하는 중인데요….
그래서 《자유론》은 지금도 여전히 그 의미를 발하는 것이란다.
자유론

《자유론》에 영향을 준 사상가 중에서 책의 표제를 제공해 준 사람이 있는데
그의 이름은 훔볼트*이지.
Karl Wilhelm Von Humboldt (1767-1835)
밀이 인용한 글은 바로 이거야.
인간의 삶에서 각자가 최대한 다양하게 자신의 삶을 도모하는 것 이상으로 중요한 것은 없다.

*훔볼트 – 독일의 언어 철학자. 비교 언어학의 기초를 마련했다.

밀은 각자 나름의 방식대로 삶을 꾸려 나가도록 충분한 자유를 갖는 것이 중요하다고 보았거든.
그래서 나는 자유에 관한 아주 간단명료한 단 하나의 원리를 말하고 싶어.
그 원리를 통해 사회가 개인에 대해 간섭할 수 있는 경우를
슥-.
최대한 엄격하게 규정하는 것이 《자유론》의 목적인 것이지.
움찔!
개인
여기까지!
그 원리는 인간 사회에서 누구든, 즉 개인이든 집단이든
다른 사람의 행동의 자유를 침해할 수 있는 경우는 오직 한 가지!
헉!!
'자기 보호를 위해 필요한 때' 뿐이라는 거야.
방어

권력이 사용되는 것도 다른 사람에게 해를 끼치는 경우에 한해서만 정당하다는 거지.
POLICE
이 유일한 경우를 제외하고는 문명사회에서 구성원의 자유를 침해하는 그 어떤 권력의 행사도 정당화될 수 없어.
LIBERTY
자유가 그렇게 소중하다고 생각한 이유는 뭔가요?
좋은 질문이에요~.
자기 자신의 감정과 자신이 처한 환경에 대해
누구보다도 더 정확하게 판단할 능력을 지닌 사람은 누굴까?
혹시 엄마?
그건 바로 자기 자신이지!
내 생각을 내가 알지 누가 알겠어?
피자 생각하고 있네.
피자생각 하네..
공리주의
따라서 자유는 절대적으로 주어져야 하는 것이지.
나는 자유인 이다!!
그래서 자유란 각자에게 맡겨 두고 간섭하지 않는 것이
본인을 위해서나 사회를 위해서나
최선의 결과를 낳는다는 거지.
팡
자유 이용권
자유구매권
자유상품권
그러나 단지 좋은 결과 때문에 자유가 소중한 건 아니야.
자유
777
결과

설령 결과가 좋지
못하더라도
자유는 소중해!
예엣??
결과가 좋아야지..
내 삶의 주인은 바로 나!
명예나 돈 따위가
주인이 될 순 없다고!
아자!
하긴.. 부럽다..
그 방식 자체가 최선의 결과를 낳기
때문이 아니라
자기 방식대로 사는 것이
바람직하기 때문이지.
내 인생은
나의 것!
그러나 밀은 자유 그 자체의
소중함을 주장하면서도
자유
자유가 통제되어야 마땅한 이러저러한
상황에 대해 많은 고민을 하지.
불가피하게
자유를 통제해야
하는 상황이 있기
때문에….
그러한 것이 이 책 《자유론》에
담겨 있단다.
자유론
J.S. Mill
on Liberty
《자유론》은 총 5장으로 구성되어 있어.
제1장 머리말은 자유에 대한
개괄적인 논의란다.
주요 내용을
먼저 간추려
낸 거지.

제2장은 생각과 토론의 자유에 대해 다루고 있어.
특히 생각의 자유를 강조했지.
자유
제3장은 행복한 삶을 위한 중요한 요소로서의 개별성을 다룬단다.
이는 행동의 자유와 관계되지.
제4장은 사회가 개인에 대해 행사할 수 있는 권한의 한계를 다루고
제5장은 자유에 관한 이론을 현실적인 문제에 적용해 가며 설명했어.
마지막으로 내가 강조하는 생각의 자유에 대해 이야기해 볼게.
COCOA
전체 인류 가운데 단 한 사람이 다른 생각을 가지고 있다고 해서
전 생각이 다릅니다!
그 사람에게 침묵을 강요하는 일은 옳지 못한 거야.
그건 마치 어떤 한 사람이 자기와 생각이 다르다고
내 생각은 달라!
콰광
나머지 사람 전부에게 침묵을 강요하는 것만큼이나 용납될 수 없는 행동이지.
쿵쿵

생각의 자유를 억압하는 것은 비단 현재 세대뿐만 아니라
미래의 인류에게까지 강도질을 하는 것과 마찬가지야.
훔쳐 간 거 돌려줘!!
꽥!!
2089 미래인
강도질이라니 왜 그런 거죠?
이 책을 읽으면서 날 따라오면 알겠지?
극장
Liberty
이게 뭐게?
주꾸미?
난 잘못 없는데..
아 참! 《자유론》을 읽기 전에 알아 둘 게 있어.
안 돼! 그건 타임머신이야!!
텁.
《자유론》은 시간이 오래 지나도 읽으면 읽을수록 그 가치가 새로운 고전 중의 하나란다.
아… 고전의 향기.
자유론
뿡
뿡
이 책을 읽다 보면 '아, 그렇구나! 맞아!' 하고 맞장구를 치게 되는 부분이 참 많을 거야.
얼쑤!
그렇지!
딱
그리고 '이런 사람한테는 밀의 이야기를 해 주어야겠구나.' 하는 생각이 드는 부분도 발견하게 되지.
뭐?
자유는 그런 게 아니고요.
물론 이런 감동을 맛보려면 먼저 책을 읽어야겠지?
CASHE
얼마예요?
자유론

그런데 문제는 밀이 매우 논리적이고 분석적인 훈련을 받은 사람인 데다
알잖아? 세 살 때부터 체계적 훈련.
천재
이론
이 책이 쉬운 말로 쓰인 책이 아니라는 거지.
확정된 결론은 깊은 잠에 빠진다는 게 무슨 뜻이지?
하하하… 이 책을 읽다 보면 알게 될 거야.
그러므로 책을 읽기 위해서는 준비가 조금 필요해.
우선 밀이 전개하는 논리를 잘 따라가려면 그동안 아껴 둔 머리를 굴릴 각오를 해야겠지.
따라올 테면 따라와 봐!
그러면 차근차근 논리를 따라가는 기쁨을 맛보게 될 거야.
드디어 도착!!
그리고 이해하기 어려운 용어가 나오면 사전도 좀 찾아가며 읽으면 좋겠어.
전자 사전 좀 봐요?
무슨 일이든 시간과 정성을 들이지 않고는 그 열매를 맛보기 어렵다는 것 알지?
자, 그럼 출발해 볼까?

공리주의란 무엇인가?

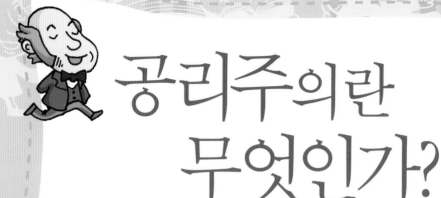

18세기 말부터 19세기 중엽까지 영국에서는 산업 혁명이 활발히 진행되고 있었습니다. 이러한 시대적 상황을 배경으로 영국 국민들은 물질적 풍요와 편의를 누릴 수 있게 되었지만 다른 한편으로는 무절제한 자유 경쟁과 개인의 이익 추구 현상이 심각해졌지요. 이에 공리주의자들은 개인의 이익과 사회 전체의 이익을 조화시키는 문제에 관심을 가지게 되었습니다.

공리주의의 기본 사상은 '인간이면 누구나 태어날 때부터 쾌락을 추구하고 고통을 피하고자 하는 경향을 가진다.' 는 인간관에서 출발했습니다. 공리주의에서 행동의 옳고 그름은 그 행동의 결과가 행복을 가져오는지 불행을 가져오는지를 보고 판단해요. 공리주의자들은 인간 삶의 목적이 쾌락이나 행복의 추구에 있다고 보았지만, 개개인 모두가 저마다 자신만의 쾌락이나 행복을 추구하면 사회는 혼란에 빠지게 되므로 '최대 다수의 최대 행복' 을 강조했어요.

공리주의 철학의 대표자라 할 수 있는 사람은 제러미 벤담(1748~1832)입니다. 그는 행복이란 다름 아닌 쾌락이고, 고통이 없는 상태를 의미한다고 주장했어

요. 벤담은 옳은 행동은 쾌락을 증가시키고, 옳지 못한 행동은 고통을 증가시킨다고 보았어요. 그러므로 사람들은 쾌락을 즐기기 위해 옳은 행동을 해야 하며, 고통을 줄이기 위해 옳지 못한 행동을 해서는 안 된다고 보았죠. 그리고 사회는 개인의 집합체이므로 개인의 행복은 사회 전체의 행복과 연결되며, 더 많은 사람이 행복을 누리게 되는 것은 그만큼 더 좋은 일이라고 생각했어요. 그리하여 그는 '최대 다수의 최대 행복' 을 법과 도덕을 만드는 기초로 보았습니다.

삶의 궁극적인 목표는 행복이며, 행복이란 고통이 없는 상태를 의미한다고 주장한 제러미 벤담.

그는 쾌락은 한 종류밖에 없으며 양적으로만 차이가 있을 뿐 질적으로는 차이가 없다고 보았어요. 쾌락의 양을 측정하는 방법도 제시했는데 쾌락이 얼마나 강한가, 쾌락이 얼마나 오래가는가, 쾌락이 얼마나 확실한가, 쾌락이 얼마나 가까운 곳에 있는가, 쾌락이 또 다른 쾌락을 낳는가, 고통이 전혀 없는 쾌락인가, 쾌락이 많은 사람들에게 영향을 주는가 등 일곱 가지를 제시했답니다.

밀은 벤담처럼 삶의 궁극적 목표를 행복으로 보았으나 쾌락의 양만을 중시할 것이 아니라 그 질적인 차이도 고려해야 한다고 주장했습니다. 쾌락에도 질적으로 낮은 것과 높은 것이 있음을 강조한 것이죠. 밀은 육체적인 쾌락은 질이 낮은 쾌락이며, 정신적인 쾌락이 질 높고 고상한 쾌락이라고 보았어요. 정신적인 쾌락이야말로 모든 사람을 오랫동안 행복하게 해 주며, 개인의 행복뿐만 아니라 다른 사람의 행복에도 영향을 미친다고 보았던 것입니다.

제2장
존 스튜어트 밀은 누구일까?
존 스튜어트 밀이 누굴까?
글쎄?
밀?
밀가루
밀크
음… 아마도 이 말은 한 번쯤 들어 보았겠지?
난 배부른 소크라테스요. 하하하!!
배부른 돼지보다는 배고픈 소크라테스가 되는 것이 낫다.
전 배고픈 돼지예요. 콜록 콜록.
이것이 바로 《자유론》을 쓴 존 스튜어트 밀이 한 말이야.
여러분, 안녕!
이제 내가 좀 아는 사람 같아졌니?
네!
그럼 자기 소개도 할 겸 나에 대해서 이야기해 볼게.
나는 누구인가? John. S Mill

밀은 1806년 5월 20일 영국
런던에서 태어났어.
으아앙~
이 녀석
목소리가
우렁차구나!
당시는 영국이 나폴레옹과 전쟁을 시작한 직후였어.
콰광
쾅
그 후 영국은 경제적으로
곤란한 시대를 거쳐
DONUT
배고파
번영을 자랑한 빅토리아 여왕 시대
전반까지 큰 변화를 겪었어.
그 변화란 한마디로
공업화와 민주화였지.
나의 어린 시절에 대해
얘기하려면 조기 교육과
영재 교육을
빼놓을 수 없지.
그런 거라면
우리나라 엄마들을
따라올 수 없을
텐데.
쳇,
영재요?
밀의 아버지 제임스 밀은 아들을 뛰어난
후계자로 키우기 위해 어릴 때부터
공리주의 교육과 영재 교육을 시켰어.
난 벤담의 친구
이자 공리주의의
옹호자라네.
공리주의
나는 정식
학교 교육을
받은 적이 없어.
으하하하~
무학력이
잖아요!
하하
하지만 아버지에게
엄격한 사교육을
받았지.
헉! 이른바
홈스쿨링…!
Greek
내가 그리스어를
배우기 시작한
나이가
몇 살이게?
십대?

놀라지 마. 세 살이라고!
끄악! 난 그 나이 때 한글도 못 깨쳤는데.
은근히 자랑….
밀은 아버지가 만든 단어집을 외우는 것으로 그리스어 교육을 시작했어.
알파 베타 감마~.
그리스어
너희들도 잘 아는 《이솝 이야기》가 맨 처음 읽은 그리스어 책이었단다.
이솝 우화
사자와 쥐
까마귀와 물병
여덟 살 무렵에는 헤로도토스, 크세노폰, 플라톤의 저서들을 읽었고
라틴어도 공부했지요.
dialogues
Anabasis
historiae
대수학과 프랑스어에다 열두 살에는 논리학까지 배웠으니 대단하지?
왠지 자존심 상하는데.
그리고 내가 굉장히 열중한 취미가 있었어.
모형 만들기? 게임?
그건 바로 역사 집필이었어!
어이구~ 갈수록 태산이네….
꽈당
로마사
다른 책을 발췌, 요약하는 방식으로 《로마사》, 《고대만국》, 《네덜란드사》, 같은 책을 썼지.
슥슥~
랄랄라~ 재밌는 저술~.
그러다 수염 날라~.
고대만국
어이 그러지 마~. 《로빈슨 크루소》나 《아라비안 나이트》도 좋아했다고.
정말?
다만 아이들이 읽을 만한 책이 많지 않아서 아쉬웠지.
이런 책이 있었다면 좋았을걸….
Harry Potter

밀은 어린 시절 아버지에게 거의 무한에 가까운 존경을 느꼈지.
아버지….
밀은 아버지와 아침 식사 전에 늘 산책을 했어.
존, 산책할 시간이다.
네. 아버지.
아버지는 숲이 우거진 오솔길을 걸어가며 밀에게 하루 전에 읽은 책의 내용을 이야기하게 했지.
어제 읽은 내용을 말해 주겠니?
헤로도토스의 《역사》를 읽었는데요….
그리고 밀에게는 문명, 정치, 도덕, 지적 교양 등에 대해 설명해 주곤 했대.
당시 트로이의 왕자 파리스는….
밀은 주로 아버지한테만 교육을 받았기 때문에
또래 친구들과 어울리면서 배워야 할 것들을 배울 기회는 없었어.
그리고 밀의 아버지는 종교와 정서 교육은 시키지 않았단다.
종교
정서
정서 교육
아버지로부터 받은 교육 덕분에 밀은 또래보다 훨씬 빨리 출발했지.
내가 남보다 태어날 때부터 비상한 이해력이 있거나 뛰어난 기억력을 가졌다고는 생각하지 않아요.
겸손하시군.
밀 따라잡기
넌 천재야…
이게 모두 아버지의 훈육 덕분이었거든.
아버지 감사합니다.

대개 많은 지식을 엄격하게 교육받게 되면
헥 - 헥헥
헥 헥 -
오히려 정신 능력이 억압되는 것이 보통이지.
그런데 밀은 다행히도 위대한 학자로 성장했어.
아버지의 독특한 교육 방법 덕이었지.
밀의 아버지는 배울 때 단순히 기억력에만 의존하는 태도를 용서하지 않았대.
이해
모든 단계에서 이해력이 앞서도록 노력했지.
외우기 전에 이해를 하라.
IQ 30
스스로 생각해서 알 만한 일은 노력해서 알게 될 때까지 절대로 먼저 가르쳐 주지 않았다지.
또한 무슨 일이든 남보다 앞섰다고 생각해서 자만하게 되면 일을 그르친다고 생각했단다.
그래서 밀에 대한 칭찬이 귀에 들리지 않도록 신경을 썼대.
그리고 스스로 남과 견주어 우쭐해지지 않도록 했지.
겸손...
아버지가 밀에게 보여 주려고 했던 것은 남이 무엇을 하고 있는가가 아니라
비교하지 않는 법
사람에겐 어떤 가능성이 있고, 또 사람은 무엇을 해야 하는가 하는 것이었단다.
가능성
열네 살이 되어 밀이 오랫동안 여행을 떠나게 되었을 때

아버지는 하이드 파크 공원에서 밀에게 이렇게 말했어.
이제 새로운 사람들과 사귀게 되면 너는 네 또래보다 많은 것을 배웠다는 사실을 알게 될 것이다. 또 많은 이들이 네 지식을 칭찬할 것이고.
그러나 네가 남보다 많은 걸 알고 있는 것이 네 자신의 공로 때문은 아니다.
?
너를 가르칠 수 있었고 거기에 필요한 수고와 시간을 아끼지 않았던 아버지를 둔 네 행운 덕분인 것이지.
!
아버지
그와 같은 행운을 타고 나지 못한 많은 사람들보다 네가 좀 더 알고 있다고 해서 칭찬받을 일은 못 되며
반대로 칭찬을 받은들 네게는 더 없는 치욕이 될 것이다.
밀은 열여섯 살이 되면서부터 신문에 기고를 시작해 사상가로서 첫 발을 내딛게 된단다.
그리고 열일곱 살이 되던 해
아버지를 따라 인도 식민지를 관할했던 동인도 주식회사에 입사해서 일하게 되지.
그러나 1826년 가을
스무 살의 청년이 된 밀은 정신적 위기를 경험하게 되었어.
갑자기 왜… 온몸의 신경이 나른하지?

재미있는 일도 없고, 신나는 일도 없고.
다른 때 같으면 기뻐해야 할 일도 왜 이리 시시하고 싱거워지는 걸까?
크느라 그런 거야.
툭툭
이에 대해 밀은 혼자 힘으로 해답을 찾아갔어.
밀은 아버지의 가르침이 지나치게 논리와 분석 훈련에만 치우쳤고
논리
분석
감정은 과소평가하는 경향이 있음을 깨달았어.
분석하는 습관은 사리분별과 통찰에는 이롭지만
머리는 늘 차갑게!
열정이나 미덕을 쌓는 데는 큰 해가 된다는 것을 알게 되었지.
지적 능력과 함께 정서적 능력의 계발도 중요한 것이구나!
그러면서 밀은 차츰 인생의 평범한 사건들이 쾌락을 가져다 줄 수 있다는 것을 알게 되었어.
햇빛과 하늘, 독서, 소소한 이야기와 평범한 일상에서
강렬하지는 않지만 그래도 충분히 유쾌한 마음을 품을 수 있는 즐거움을 찾은 거지.
인생의 쏠쏠한 재미라….

이번엔 나의 사랑이야기를 해 볼까?
와! 좋아요!
빙고!
공부만큼이나 사랑도 열정적이었지. 후후….
1830년 어느 날, 밀은 해리엇 테일러라는 여성을 만나게 돼.
이쪽 숙녀분은 그러니까….
이때 밀이 스물다섯 살, 해리엇은 스물세 살이었어.
처음 뵙겠습니다.
해리엇 테일러는 지적 능력도 뛰어나고 감정이나 상상력도 타고난 멋진 여성이었지.
그렇다면 난 신붓감 후보 3위쯤….
어딜 올라갔!
하지만 해리엇 테일러는 결혼 4년째의 두 아이를 둔 유부녀였어.
유부녀라 고라??
하지만 그녀는 나의 이상형인걸.
어찌 이런 일이….
휴~
둘의 관계는 상류 사회의 스캔들이 되어 버렸지.
글쎄 그게 말이야…
하지만 밀에게 해리엇은 가장 중요한 사상적 친구였단다.
해리엇, 이 글 좀 검토해 주시겠소?
물론이죠.
해리엇과 만나고 난 뒤 밀은 후세에 남을 만한 책 2권을 발표했어.
그중 하나가 1843년에 발표한 《논리학 체계》야.
흠

밀이 10년간 연구한 성과물인 이 책은 그의 학문 방법론을 이해하는 데 아주 중요하지.
방법론
다른 하나는 1848년에 발표한 《정치경제학 원리》야.
이 책은 해리엇과 합작한 최초의 책이지.
결국 밀의 사랑은 자신의 정신적·사상적 깊이와 저술에도 도움이 되었어.
물론 그 과정에서 가족과 친구들을 멀리하는 아픔도 있었어.
HOME
그들의 관계는 해리엇의 남편 테일러가 암으로 사망할 때까지 계속됐어.
이때가 내 나이 44세였지.
오랜 기다림이었군요.
그리고 밀이 46세 되던 1851년.
빠밤~
결국 해리엇 테일러와 결혼을 했단다.
와! 축하드려요!!
그러나 밀이 자서전에서 표현한 대로 '겨우 7년 반' 짜리 행복이었어.
겨우 7년반...
프랑스 여행 중에 얻은 감기와 폐렴으로
해리엇 테일러가 갑작스레 죽게 되었거든.
여보!! 이렇게 가면 안 되오!!
밀은 아내의 유해를 묻은 아비뇽 근처에 집을 마련해 그녀의 무덤을 평생 돌보았지.

1858년, 밀은 오랫동안 근무한 동인도 회사를 사직했어.
사직
그리고 책 쓰기에 열중해서
1859년엔 그의 대표작인 《자유론》을,
on LIBERTY
John Stuart Mill
2년 뒤에는 대중 민주 정치의 문제점을 비판한 《대의정부론》을 발표했어.
이후에도 그는 《공리주의》, 《여성의 종속》 등을 집필했단다.
代議政府論
대의정부론
John Stuart Mill
Considerations on Representative Government
Utilitarianism
J. S. Mill
The Subjection of Women
열정을 다해서..
예순 살이 되던 해엔 잠시 정치에 발을 담그기도 했어.
뽕~
정치요?
밀은 평소
정치란 스스로 앞장서서 남더러 따라오라고 하는 사람만이 할 수 있는 일!
그래서 자기와는 거리가 멀다고 생각했대.
하지만 주위 사람들의 강력한 권유로
당신이 반드시 나서야 하오!
정말?
결국 선거에 참여하게 된 거지.
밀은 평소 소신대로 단 한 푼의 선거 비용도 쓰지 않았고
밀어주자!
밀을 의회로!
있어야 쓰지….

선거 운동 과정에서 자신의 소신을 거짓 없이 사람들에게 이야기했단다.
여성도 남성과 똑같은 선거권을 가져야 하고….
그럼에도 기적같이 선거에 당선되었고 소신대로 하원 의원 활동을 했단다.
와!
WINNER
하지만 이런 기적은 두 번 일어나지 않았고, 짧은 정치 참여는 끝나게 되지.
짐을 싸서 떠나라~.
중요한 것은 정치에 참여한 것이 아니라 그 과정에서 보여 준 밀의 소신이야.
딱딱
밀은 많은 사람에게 말했어.
의원이 되고 싶은 생각이 전혀 없소. 선거를 위해 돈을 쓸 수도 없고. 여성도 남성과 동등하게 선거권을 가져야….
뽑히고 싶긴 한 거야?
설령 당선이 된다 하더라도 지역구 이익을 위해 노력할 수는 없습니다!
꽈당
어때, 대단하지?
정말 짱이에요!
야호~
이를 본 문학자는 이렇게 말했대.
이래서는 전지전능한 신이라도 당선될 가망이 없을 것.
지금은 당연해 보이는 주장 같지만 당시에는 굉장히 앞선 생각이었거든.
너무 앞서 갔나?
실제로 영국에서 여성의 참정권이 실현된 것은 1928년이니까.
생애 최초의 투표였어요.
투표소

프랑스 아비뇽에 돌아와 연구에 몰두하던 밀은
《곤충기》의 저자인 파브르와 소풍을 갔다가
좋은 날씨군요.
이번엔 누에나방이 있을까요?
갑자기 병을 얻어 사흘 만인 1873년 5월 7일에 운명하고 말았어.
밀은 자신을 간호하던 양딸에게 말했지.
나는 내 일을 다 끝마쳤다.
예순일곱 살의 나이로 진리에 대한 뛰어난 능력과
진리
truth
자유에 대한 열정적 마음을 가졌던 삶을 마침내 마감한 것이지.
자유
유해는 그가 평생 사랑했던 유일한 사랑 해리엇 테일러의 묘 옆에 나란히 매장되었단다.
Cimetiere de St. veran
여기가 내 무덤이야.
죽어서도 영원한 사랑을 할 수 있겠네요.
악!
John stuart Mill

여성 참정권의 역사

여성의 참정권이란 여성이 정치에 참여할 수 있는 법적 권리를 말합니다. 곧 선거권과 피선거권을 갖는 것을 의미하죠. 고대 그리스와 로마 공화정 아래에서 여성들은 투표에 참여하지 못했으며 19세기 유럽에서도 마찬가지였습니다. 영국에서는 1832년에 선거법의 제1차 개정이 있었으나 투표권을 가진 사람은 일정액 이상의 재산을 가진 남자들에 한정되었습니다. 그 뒤 1867년의 제2차 개정에서 도시 노동자와 소시민에게도 선거권이 인정되었고, 이후 수 차례의 개정을 거쳐 여성 투표권을 포함한 완전한 보통 선거제가 확립되었습니다.

여성의 선거권을 인정하는가의 여부는 마침내 19세기의 쟁점으로 부각되었으며, 특히 영국과 미국에서 선거권 쟁취 투쟁이 강렬했으나 전국적인 차원에서 여성 선거권을 인정한 최초의 국가는 영국과 미국이 아니었습니다. 여성에게 투표권을 처음 준 국가는 뉴질랜드로 1893년이었고, 다음으로 오스트레일리아(1902) · 핀란드(1906) 등에서 여성들은 전국 선거의 투표권을 획득하게 되었어요.

영국의 여권 신장론자 메리 울스턴크래프트는 《여성의 권리옹호》를 써 여성의 교육적 · 사회적 평등을 주장하였다.

제1차 세계대전과 그 영향으로 유럽 등지의 국가들에서 앞다투어 여성의 선거권을 인정하기 시작했습니다. 미국에서는 1920년에 여성이 투표권을 갖게 되었고요. 대부분의 선진국에서 여성이 투표권을 갖게 된 것은 1920년대였지만 벨기에, 프랑스, 그리스, 이탈리아에서 여성이 투표권을 갖게 된 것은 제2차 세계대전 직후였습니다. 아시아 · 아프리카에 사는 대부분의 여성들은 제2차 세계대전 후 국가의 독립과 민주주의의 도입 과정에서 투쟁 없이 참정권을 얻게 되었죠.

한국에서는 1948년에 처음 실시한 선거에서부터 여성들이 투표권을 가졌습니다. 포르투갈, 스페인에서는 1970년에 와서야 여성이 투표권을 행사하게 되었어요. 중동 지역의 요르단에서는 1984년, 쿠웨이트에서는 2005년에 와서야 여성이 투표권을 갖게 되었고, 사우디아라비아에서는 아직도 여성에게 투표권이 없다고 해요.

시기	영국 선거권의 확대 내용
19세기 초까지	귀족, 부자에 선거권 인정
1832년 선거법	중산 계급에 선거권 인정
1867년 선거법	도시 소시민과 노동자에 인정
1884년 선거법	농부와 광산 노동자에 인정
1918년 선거법	20세 이상 남, 30세 이상의 부인에 인정
1928년 선거법	20세 이상의 모든 성인 남녀에 인정

	프랑스	영국	미국	독일	이탈리아	일본	한국
남자	1848	1918	1870	1870	1912	1925	1948
여자	1946	1928	1920	1920	1945	1945	1948

제3장
환경이 바뀌면 자유도 변해
自由
이번 장에서 말할 것은 이거야.
사회가 개인을 상대로 정당하게 행사할 수 있는 권력의 성질과 그 한계.
자유에 대해서 이야기하는 건데 권력의 한계라뇨?
물론 내 관심은 자유를 지키기 위해 그 한계를 분명히 하려는 거야.
권력은 여기까지!
사실 이 문제는 그 당시까지 그다지 제기되지 않았고, 이를 둘러싼 이론적 차원의 토론도 거의 없었어.
몰라유~.
일이나 햇!
자유가 뭡니까?
우린 바빠..
그러나 밀은 이 문제가 머지 않아 중요한 문제로 부각될 거라고 보았어.
치익~~...

자유와 권력의 문제는 갑자기 생긴 것이 아니야.
Liberty
아주 오래 전부터 인간 사회를 뒤흔들었던 것이지.
그러나 문명이 발달하고 인간의 삶이 진보하면서
이 문제를 둘러싼 환경이 새롭게 바뀌었단다.
따라서 과거와는 다른 좀 더 근본적인 접근이 필요하게 되었어.
자유와 권력의 다툼은 역사가 시작된 까마득한 옛날부터 있어 왔어.
와
자유를 달라!
닥치거라!
그런데 과거에는 이런 다툼이 인민과 정부이거나
또는 인민들 중에서도 일부 계급과 정부 사이에서 일어났단다.
여기에서 인민이란 말이 낯설지?
들어 보기는 했는데….
PEOPLE 人民
인민이란 말은 국민과 비슷한 말이야.
인민
국민
인민은 국가나 사회를 구성하는 피지배자를 가리킨단다.
지배를 받기 때문에 '피지배자' 라고 해.

국민이란 말은 시민 계급이 정치에 등장하고
통일 국가가 확립되면서부터 생겨난 것이므로
NATION
국가 혹은 국민이란 뜻이야.
여기에서는 인민이라고 쓰도록 하자고.
인민
과거의 자유는 정치 권력자의 압제에서 보호받는 것을 의미했어.
적어도 난 안전해.
왜냐하면 그 당시 인민과 권력의 관계는 적대적이었거든.
권력자들은 주로 세습이나 정복을 통해 권력을 잡았지.
이 말은 인민의 의사에 따라 권력을 얻은 건 아니라는 의미야.
턱!
그러므로 권력자는 인민을 위해 권력을 행사할 필요가 없었어.
내 권력은 내 거니까.
力
권력을 행사하는 것은 꼭 필요하고 피할 수 없는 일이지만
누구라도 지도자는 있어야 하지.
사람들은 그 힘이 외적의 침입을 막는 데 쓰이지 않고
와, 잘한다~.
쾅
휴대용권력 시범대회
인민들을 억누르는 데 사용될까봐 고민했지.
내 말을 들어라!!
꽉

외적도 아닌 자기 나라의 권력자가 괴롭힌다고 생각해 봐.
우리끼리 잘 살기도 힘든데 괴롭혀?
인민들로서는 한시도 그에 대한 경계를 늦출 수가 없었어.
그러니 마음 놓고 편안히 살 대책이 필요했겠지?
뭔가 방법이 없을까?
꼬르륵...
그래서 사람들은 최고 권력자가 행사할 수 있는 힘의 한계를 규정하고 싶어 했어.
당신의 권력은 여기까지요!
웃기네.
그러면서 이렇게 권력에 제한을 가하는 것을 바로 '자유'라고 불렀단다.
Liberty
우리가 알던 자유와는 너무 다르네요?
사람들이 권력을 제한하는 방법엔 두 가지가 있어.
하나는 정치적 자유 또는 권리라고 하는 침범할 수 없는 영역을 인정하게 만드는 거야.
서명하시오!
人民
끙… 두고 보자….
권리&자유
이 영역을 권력자가 침범하면
유후~!
스~

권력자의 의무를 위반한 것으로 간주하게 되지.
이건 계약 위반이다!
애애애앵
그런 경우 인민들의 저항이나 반란은 정당한 것으로 인정돼.
두 번째는 좀 시간이 흐른 뒤의 방법이란다.
국가가 중요한 결정을 내릴 때
구성원들의 이익을 대표하는 기관의 동의를 얻도록 헌법으로 규정하는 방법이야.
의회가 바로 이런 것이죠.
그 당시 유럽의 권력자들은 대부분 첫 번째 제한을 선택했대.
하하하! 이게 나한테 더 유리해.
권력 손익 계산
결과
지잉~
그러나 자유의 확대를 원하는 사람들은 두 번째 방법이 목표였지.
하루빨리 의회를 건설해야 합니다!
점차 사회가 발전하면서
사람들은 지배자의 이익과 자신들의 이익이 꼭 대립하는 것만은 아니라는 것을 알게 되었지.
확 갈아 버려?
쿵

이제 나랏일을 담당하는 고위직 관리는 자신들을 위해 봉사하는 일꾼이며
마음에 들지 않으면 언제든지 바꿔 버릴 수 있는 존재라고 생각하기 시작한 거야.
뻥~!
정기적으로 치러지는 선거를 봐.
진정한 머슴! 1
사실 투표권이 없는데… 히히.
여러분의 일꾼이 되겠습니다.
에헴~
사람들은 이제 점차 지배자의 권력을 제한하는 방법보다
여기까지 넘어오면 안 되지!
권력
선거를 통해 일정 기간 동안만 일하는 지배자를 뽑는 게
5년
2년
3년
더 효율적이라는 것을 알게 된 거야.
권력
이렇게 환경이 변하자 사람들은 생각했어.
그동안 너무 권력 제한에만 초점을 맞추었군….
깨끗한 정치
녹색
민족 자율
2 강한 나라!
돈이 최고
공정 선거
권력 제한은 국민의 이해관계에 반하는 통치자에 저항하는 수단이었거든.
야옹~…
이름: 권력이
하지만 이젠 그런 걱정을 할 필요가 없어졌지.
권력은 인민의 것이니까!
야옹~…

이제 지배자들로 하여금 인민에 대해 철저하게 책임을 지게 만들고
권력쌓기
그렇지 못하면 즉시 권좌에서 물러나게 하면 되었어.
쾅
인민이 그 사용처와 사용 방법을 엄격하게 규정한다면
만화로 보는 권력 설명서
인민
권력을 지배자에게 안심하고 맡겨도 되는 시대가 된 거지.
잘 관리해 봐.
예이~.
그래서 존재하지 말아야 할 정부가 아니라면
ich?
정부가 하는 일에 어떤 형태로든 제약을 가하지 말아야 한다고 생각하게 되었지.
맡겨 주세요!
이렇게 되면 이제 아무 문제도 없을 것 같지만!
벌떡~
정치나 철학 이론도 성공을 거두지 못할 때는 눈에 띄지 않다가
우린 깨끗해! 곧 우리를 알아줄 때가 올 것이오!
성공을 거두면 그 결점이나 허점이 발견되는 법!
우리 세상이 왔다!!
윽 냄새!
마치 연애할 때 눈에 콩깍지가 씌어 상대방의 결점을 하나도 못 보다가
달링~.
결혼하고 나서야 발견하게 되는 그런 상황이랑 비슷하지?
너무 어려운 비교였나?
저는 연두의 결점이 아주 잘 보이는걸요.
헤헤~.
연두

민주 정부를 세우는 것이 꿈에서나 가능하다고 생각했던 시대에는
민주
民主
당연히 인민이 자기 스스로 행사하는 권력을 제한할 필요가 없다고 생각했지.
무조건적인 자유를 원한다!! 얼씨구~.
人民
그러나 막상 선거를 통해 정부가 수립되자
민주 정부
정부가 하는 모든 일들은 사람들의 관찰과 비판의 대상이 되었단다.
민주 정부
왜냐하면 '자치'나 '인민의 자기 자신에 대한 권력 행사'란 말은 본질을 정확히 표현하지 못하는 면이 있거든.
자신
권력
자치
행사
인민
이게 무슨 말인지 잘 생각해 봐.
설명이 필요해요….
권력을 행사하는 인민은 그 권력의 지배를 받는 대상과 똑같은 인민이 아니란 거야.
엥? 무슨 소리?
人民
人民
자치라고 말하지만
스스로 자신을 다스리는 것이 아니라
각자가 자기 이외 나머지 사람들의 지배를 받는 정치 체제인 거지.
[자치]
인민의 의지도 자신의 의지가 아니라
삼겹살이 먹고 싶은데….
I'm a skeleton
가장 많은 수를 차지하는 다수파의 의지를 뜻한다는 거야.
삼겹살은 비만의 적!

이렇게 자세히 들여다보니
문제가 생긴 거지.
권력을 가진 인민이
뿌듯~…
자신들 가운데 일부를 억누르고
싶은 욕망을 가질 수도 있는 거잖아.
저 녀석을
잡아 버릴까?
그러므로 여전히 정부가 개인들에게 행사하는
권력에 대한 감시를 게을리
해서는 안 되는 거야.
큰일 날
뻔했군….
게다가 정치 영역에서 '다수의 횡포'는
온 사회가 경계하지 않으면 안 될
큰 문제가 되었지.
WANTED
다수의 횡포
WANTED
다수의 횡포
WANTE
JIN
밀은 이 다수의 횡포가 정치적 탄압보다
훨씬 더 무섭다고 했어.
The tyranny of the majority
그것은 정치적 탄압처럼 눈에 보이는
무서운 형벌을 내리지는 않지만
우리는 모든 것을
토론으로 하지.
개인의 사사로운
삶 구석구석에 침투해서
시험
GAME
ENTER
마침내 그 영혼까지 통제하면서
도저히 빠져나갈 틈을 주지
않는다고 보았거든.
이제 자유를 지키는 게 더
복잡해졌지.
권력자의
횡포만 문제가
아니군.
다수
권력자

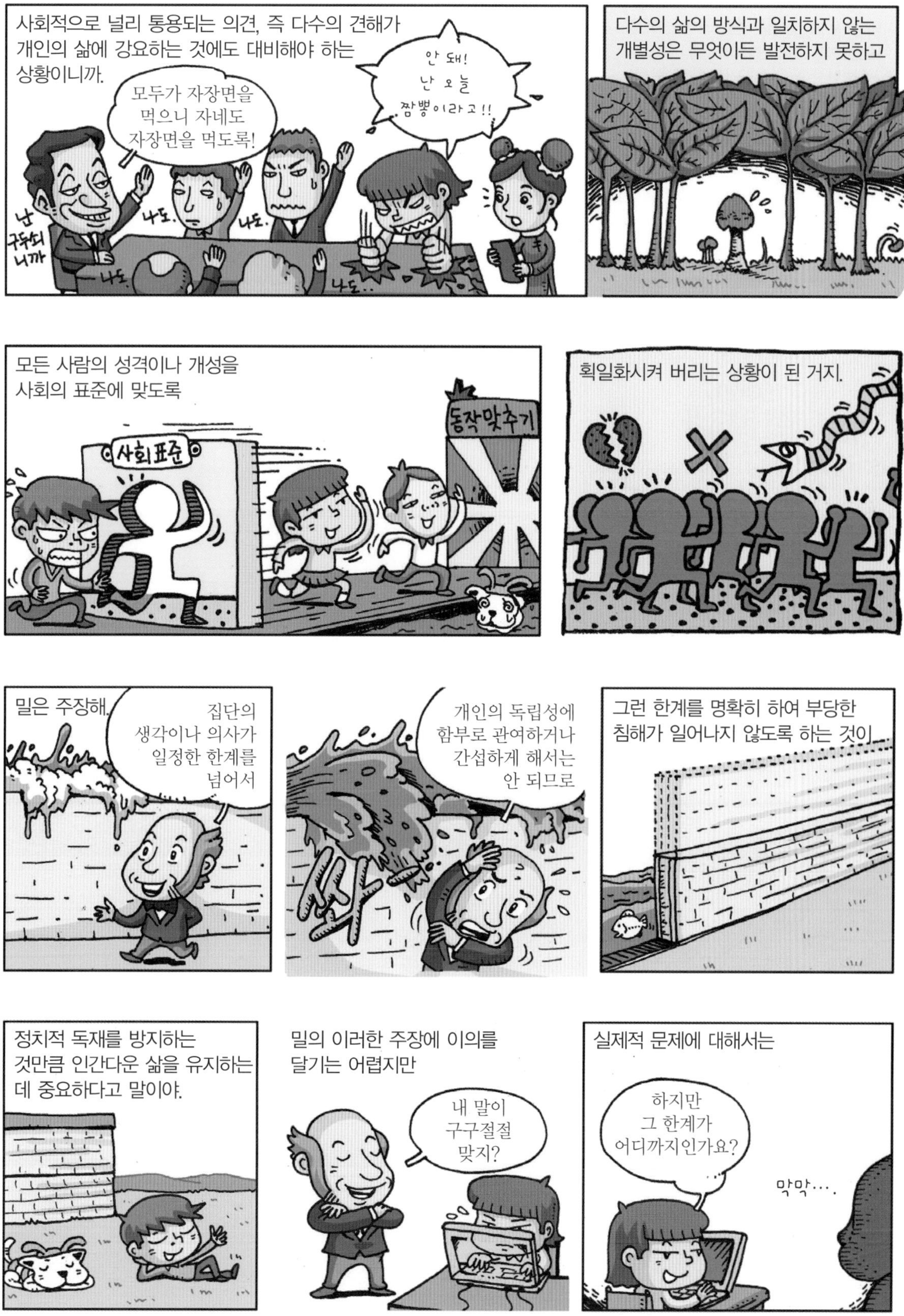

사회적으로 널리 통용되는 의견, 즉 다수의 견해가 개인의 삶에 강요하는 것에도 대비해야 하는 상황이니까.
모두가 자장면을 먹으니 자네도 자장면을 먹도록!
난 구두쇠니까
나도.
나도.
나도.
나도.
나도..
안 돼! 난 오늘 짬뽕이라고!!
다수의 삶의 방식과 일치하지 않는 개별성은 무엇이든 발전하지 못하고
모든 사람의 성격이나 개성을 사회의 표준에 맞도록
사회표준
동작맞추기
획일화시켜 버리는 상황이 된 거지.
밀은 주장해.
집단의 생각이나 의사가 일정한 한계를 넘어서
개인의 독립성에 함부로 관여하거나 간섭하게 해서는 안 되므로
그런 한계를 명확히 하여 부당한 침해가 일어나지 않도록 하는 것이
정치적 독재를 방지하는 것만큼 인간다운 삶을 유지하는 데 중요하다고 말이야.
밀의 이러한 주장에 이의를 달기는 어렵지만
내 말이 구구절절 맞지?
실제적 문제에 대해서는
하지만 그 한계가 어디까지인가요?
막막…

개인의 독립성과
사회의 통제가 만나는
점이 어딘지
어려워요.
음…
쉽지 않지?
해결해야 할 문제가 한두 개가 아니야.
정말 한두 개가
아니군….
이러한 것에 대한 행위 규범은 우선
법에 따라 정해져야 해.
법이
우선이다!
法
LAW
그리고 법이 관여하기 어려운
부분은
법조문
끙…
다수의 생각에 따라
결정해야 되고.
이 규범들이 어떤 것이어야 하는가는
인간 생활의 근본 문제란다.
규범
그러나 이 문제의 정답을 찾기란
거의 불가능해.
시대에 따라서
변하는 게
규범이거늘….
각각 답이 다른데
어떻게 한 가지
정답이 있겠어?
또 서로 다른 두 사회가 같은 답을
낸 적도 거의 없지.
사형!
벌금!
게다가 한 시대나 사회가 내린
결정이
수영장을
만들어 놓아
봅시다.

다른 시대나 다른 사회의 사람에게는 놀라워 보이기도 하거든.
헉!! 저런 옷을 어떻게 입고 다녀??
금수 같은 놈
그런데도 그런 결정을 내린 특정 시대, 특정 국가의 사람들은
다른 사람들도 오래전부터 늘 자신들과 똑같은 생각을 해 왔다고 믿어.
그럼 저 나라는 어떤 수영복을 입지?
그래서 이에 대해 추호의 의심도 하지 않는 경향을 보인단다.
대부분의 사람들은 자신들이 확립한 규칙이 너무나 당연하며
다른 나라 사람들도 다 수영복 입잖아요?
아니 저놈이 기어코!
누가 봐도 옳다고 생각해.
풍기문란
난 항상 옳으니까.
허허..
그런데 이러한 행위 규범을 만드는 데는
정말 여러 가지 요인이 다양하게 작용한단다.
왜 나만 안 좋은 거야?
사람들의 선호
이성이나 편견
사회적 호감 반감
부러움 질투
고만 오만
심지어는 욕망이나 자기 염려가 결정 요인이 되기도 하지.
이것이 의미하는 바는 뭘까?
그야 물론….
한 사회의 행위 규범이나 도덕 감정의 형성은 이성적인 결과물이 아닐 수도 있다는 것이죠.
난 천재

이렇게 되면서 실질적으로는 사회를 움직이는 중요한 세력이 규범을 만들게 된단다.
우리는 중요세력
사람들은 법을 지키지 않을 때 따르는 처벌이 두려워서
법
또는 여론의 힘에 밀려 그 규범을 준수하게 되지.
준수
그러나 이러한 행위 규범, 윤리, 도덕이라는 것이
우리는 언제나 옳아~
행위 규범
윤리
도덕
규범
잘못된 것일 수 있음을 보여 주는 적절한 사례가 있어.
바로 종교적 신념이야. 왜냐하면 종교적 신념이 강한 사람에게는
신이시여….
종교의 차이 때문에 생기는 증오심도 도덕 감정의 하나이기 때문이야.
저 이교도를 화형에 처하라!!
가톨릭교회에서 갈라져 나온 사람들조차도
처음에는 종교적 견해의 다양성을 인정하지 않았어.
안 돼!! 한 가지로만 뻗어!!
그러나 각 교회 또는 분파 간에 심각한 갈등과 대립이 일어나고

어느 한쪽의 완벽한 승리 없이 막을 내리자 문제가 생겼지.
다수파가 될 가능성이 없는 소수파 쪽에서는 종교적 차이를 인정해 줄 것을 요구할 수밖에 없었던 거야.
인정
왜냐하면 자신들의 존재를 인정받아야 하니까.
여긴 우리 거!
바로 이 싸움을 통해서
'사회가 침해할 수 없는 개인의 권리' 라는
개인
중요한 원리의 토대가 확보되었지.
권리
개인
이제 사회가 생각을 달리 하는 개인에 대해
난 반대!
함부로 간섭하는 것이 어려워졌어.
...
종교의 자유를 신장시키는 데 기여한 저술가들은
특히 양심의 자유가 결코 침해되어서는 안 될 권리라는 점을 분명히 했어.
그리고 각 개인이 자신의 종교적 믿음에 대해

절대적 자유를 누려야만 한다는 사실을 강조했단다.
그러나 밀은
인간의 마음은 그렇지 않아.
인간은 자신이 소중히 여기는 것과 대립되는 것에 대해서는
쉽사리 관용을 베풀지 못하는 천성을 타고났다고 생각했단다.
따라서 실제로 종교의 자유를 누리는 사람들은
내 맘대로!
그리 많지 않다고 생각했지.
관용의 폭이 넓다는 지역에서조차
우리는 관용을 사랑하오….
일정한 예외 속에서 관용의 의무를 받아들인단다.
예를 들면 교회 행정에 대해
교회 주차장을 시민들께 개방하기로….
헤헤
생각이 다른 사람을 받아들일 수는 있지만
뭐 그 정도는 우리도 이해합니다.
나는 관대하다…
교리 자체에는
삼위일체는 성경과 무관하오!

감히 신의 말씀을
거역하다니
죽어라~~!!!
강경한 입장을 취하기도
한다는 거지!
오, 신이시여!
어떤 사람은 자선을 베풀다가도
믿습니다…
신이나 천국의 존재를 믿지
않는 사람에게는
난 신을
믿지 않소!
떡
주슈!
등을 돌려
버리기도 한단다.
사랑의 떡
치사해서 안 먹어!!
꼬르륵~.
신앙을 가진 사람들의 감정이
지극히 순수하거나
오로지
주님의
말씀만을…
강렬한 곳일수록
관용의 폭은 좁아지지.
우린
열려 있소.
그만큼 자기와 다른 입장을 가진 사람을
인정하는 데 한계가 있다는 거야.
다음은 정부의
간섭에 대해서
이야기해 볼까?

다수의 횡포

'다수의 횡포' 는 프랑스의 정치 사상가 토크빌이 9개월간 미국을 방문한 뒤 그 경험을 바탕으로 쓴 《미국의 민주주의》에서 한 말입니다.

토크빌이 살던 당시의 유럽은 프랑스 혁명의 여파로 인하여 자유와 평등, 민주주의에 대한 열망이 매우 강했고 토크빌도 그런 사람 가운데 하나였습니다. 그가 《미국의 민주주의》에서 밝힌 민주주의의 근본은 평등에 대한 열망이에요. 토크빌에 따르면 민주 사회에서 사람들은 자유와 평등 두 가지를 모두 추구하지만 자유보다 평등을 선호하기 때문에 평등을 위해서 자유를 포기하는 경향이 있다고 합니다. 자유는 획득하기도 어렵고 그 이점도 잘 보이지 않는 반면에 평등은 그 이점이 매우 즉각적이기 때문에 사람들은 평등을 더 좋아한다는 것이죠.

토크빌은 민주 사회에서 자유가 억압되지 않는데도 사람들이 자유를 자발적으로 포기함으로써 전제주의적인 경향을 띠게 된다고 보았습니다. 민주주의가 평등 제일주의를 낳고 한편으론 개인주의와 결합함으로써 독자적 판단 능력이 없는 개인들의 고립을 심화시킨다는 것이에요. 개인주의가 널리 퍼짐에 따라 사람들의 삶은 서로 고립되고 서로를 연결시켜 주던 전통적인 유대 관계는 사라지게 되

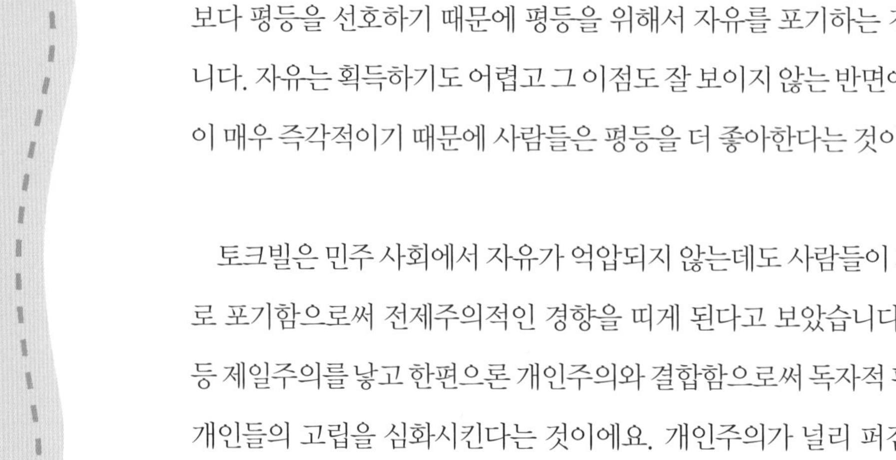

토크빌은 사람들이 평등을 위해서라면 자유를 포기하는 경향이 있다고 보았다.

는데, 그러한 사회에서는 개인들의 다양한 의견보다는 다수가 형성한 여론이 오히려 더 강한 권력을 행사하죠. 이로 인해 개인들은 다수의 의견에 복종하고 거기에 안주함으로써 책임을 회피하게 되는 것입니다.

밀 역시 토크빌과 견해가 같았습니다. 민주주의가 발달한 사회에서는 사회적 다수가 행사하는 권력이 개인의 자유에 더 큰 위협이라고 보았던 것이죠. 따라서 밀은 개인의 자율성과 개성을 살리기 위해선 이제 국가 권력이 아닌 사회의 압력으로부터 벗어나야 한다고 했습니다. 민주 사회에서 다수의 횡포는 공권력을 통해 행사되기도 하며 관습이나 여론의 압력이라는 형태로 개인의 영역에 침투하는데, 이런 다수의 횡포가 어떤 형태의 정치적 탄압보다 훨씬 더 가공할 만한 힘을 발휘한다고 보았던 것이죠.

오늘날 '다수의 횡포' 에 대한 염려는 다수결의 원리가 가진 문제점에서 나옵니다. 다수의 의견이 언제나 합리적이고 정당한 결과를 가져오는 것은 아닙니다. 불합리하고 잘못된 의견이 다수자에 의해서 지지를 받고, 합리적이고 올바른 의견이 소수의 의견으로서 배척받게 될 경우에 민주 정치는 어리석은 대중의 정치로 타락하게 되죠. 만약 어떤 일에서 다수가 합리적이지 못하고 정의롭지 못하다면 다수결의 원리는 '소수에 대한 다수의 횡포' 가 될 위험이 있답니다.

제4장 자유의 기본 영역

제4장
자유의 기본 영역
MILK
Zzzz
Liberty

정부의 간섭이 옳은 것인지
잘못된 것인지
정부
판단할 수 있는 원리는 무엇일까?
정부
이런 문제에 공식적인 원리는 존재하지 않아.
정부
뻥
어떤 사람들은 좋은 결과가 나올 듯하거나 잘못이 고쳐질 것 같으면
정부의 간섭을 촉구하지.
도둑을 잡기 위해 통행금지를 해야 해요… 제발….
덜덜덜
반면에 어떤 사람들은 정부의 간섭을 받느니 웬만한 사회적 해악은 감수하겠다고 해.
도둑과 싸우더라도 통행금지는 안 되오!
깡이 있어야지!!

구체적인 사안에 따라 사람들의 생각은 각양각색이야.
감정이나 기분에 따라 다르고
정부의 개입이 필요한 사항에서 그들이 느끼는 이익의 정도에 따라서도 달라.
애게…
또 개입하는 경우라도
정부가 어떻게 일을 처리하면 좋은지에 대한 생각이 각각 다르단다.
규칙이나 원칙없이 일을 처리하다 보면
어느 쪽이 반드시 옳다고 말할 수 없게 되어 버리지.
왜냐하면 옳을 때도 있고 틀릴 때도 있거든.
정부
그러므로 정부의 간섭을 촉구하는 쪽이나 반대하는 쪽이나 잘못될 가능성이 있기는 마찬가지야.
1장에서도 말했지만 자유에 관한 아주 간단명료한 원리가 하나 있어.
원리
이것을 통해 사회가 개인에 대해 강제나 통제를 가할 수 있는 경우를 최대한 엄격하게 규정할 수 있지.
통제
자유
그 원리는 다음과 같아.

인간 사회에서 다른 사람의 행동의 자유를 침해할 수 있는 경우는 오직 한 가지
'자기 보호'를 위해 필요할 때뿐이라는 거야.
우두둑
다른 사람에게 해를 끼치는 것을 막기 위한 목적이라면 권력이 사용되는 것도 정당하다는 거지.
이 유일한 경우를 제외하고는
문명사회에서 구성원의 자유를 침해하는 그 어떤 권력의 행사도 정당화될 수 없어.
그럼 더 좋은 결과를 주려고 간섭하는 건요?
당신은 딱! 장군감이오!!
이렇게 간섭하는 건 훨씬 좋잖아요? 출세도 하고.
난 이것도 반대다!
본인의 의사와 관계없이 무슨 일을 시키거나 금지시켜서도 안 돼!

아무리 선한 목적을 가졌다 할지라도 강요하고 금지시켜서는 안 되고
충고하거나 논리적으로 설득하거나
아침에 네 개 저녁에 세 개 주겠소.
간청하는 방법을 쓰는 정도만 가능해.
새우깡
다시 정리하면
사회는 다른 사람에게 영향을 주는 행위에 대해서만 간섭할 수 있어.
반면에 당사자에게만 영향을 미치는 행위에 대해서는
먹는 건 오직 당사자에게만 영향을 미치지…
개인이 당연히 절대적인 자유를 누려야 한단다.
자기 자신 즉 자신의 몸이나 정신에 대해서는 각자가 주인인 거야.
내 몸의 주인은 나!!
고로 누구도 내가 하는 일에 간섭할 수 없지.
넌 이미 남에게 피해를 주고 있어!
쓰레기 봉투
음… 그런데 너희들 나이가 어떻게 된다고?
나이를 왜 또 물어요?
아까처럼 미성년자라서 자격이 없다고 하려고요?
제대로 들었구나! 바로 그거야!
휘청~

절대적인 자유는 정신적으로 성숙한 어른에게만 적용돼.
으쌰
으쌰
아직 다른 사람의 보호를 받아야 할 처지에 있는 사람들은
피노키오야.
네.
자신의 행동에 따른 결과로부터도 보호받아야 하거든.
제페토 공작소
밤중에 쏘다니지 마라. 땔감 된다.
동의할 수 없어요!
하하하… 그러면 너희들의 주장과 근거를 만들어 사람들을 설득해 보렴.
그리고 미개 사회에 사는 사람들도 사회의 간섭을 받아야 해.
뭐시라?
보호
그런 사회에 사는 사람들은 정신적으로 미성년이나 마찬가지거든.
내가 자식이 몇인데 미성년이야!!
더 나아가 미개인들을 발달시키기 위해
이걸로 입으시오, 미개인.
NICE
뭐, 뭐라고!!
하는 일이라면
안 그러면 강제로 입히겠소.
이건 우리의 전통 의상이다!!
척!
그것이 독재일지라도 정당한 통치 기술이 될 수 있어.
NICE
억울해…. 저희들 맘대로야! 잉잉….
말도 안 돼!
그건 좀 위험한 생각 아닌가요?
어째서?

누군가 나쁜 의도를 가진 인간이
우리 민족은 새롭게 나아가야 합니다!
독재 정치를 정당화한다면 어떻게 하냐고요?
쿠르르르...
게다가 미개 사회가 어떤 사회인지 정확하진 않지만
그건 서양인들이 만들어 놓은 기준일 뿐이야.
그 사회에 사는 성인 입장에서는 굉장히 불쾌하겠지?
산업 사회가 아니라고 해서 삶의 질까지 나쁜 건 아니라고
오히려 우리가 더 행복하게 사는 거야.
어떤 경우인가요?
이제 자유를 제한하는 문제를 살펴볼까?
밀은 모든 윤리적 문제의 궁극적 기준은 '효용'이라고 생각해.
그리고 그것은 인간의 지속적인 이익에 기반을 둔 넓은 개념이어야 한다고 생각하지.
밀은 이러한 지속적인 이익을 위해 개인의 행위가 다른 사람의 이익에 연관이 되는 한
개인의 자율성을 제한하는 것이 정당화된다고 봤어.
정당
그런 의미에서 사회적 책임을 물을 수 있는 경우는 많아.

먼저 누군가가 타인에게 해로운 행위를 한다면
법으로써 또는 여론의 비난으로써 처벌받아야 하겠지.
여론
또한 개인은 다른 사람의 복지를 위해
복지
강제적으로 수행해야 할 행동들도 있어.
강제적?
예를 들어 법정에서의 증언이나
양심에 따라 숨김과 보탬 없이 사실 그대로를 말하고 만일 거짓이 있으면 위증의 벌을 받기로 맹세합니다.
증인석
국방 또는 사회의 이익을 위해 해야 할 공동의 작업 같은 것들 말이야.
꺄아아~
LOVE
충성!
싸우면이거
또한 이웃의 생명을 구해 주는 일이나
자기 방어 능력이 없는 약자를 보호하는 일도 회피해서는 안 돼.
마땅히 해야 할 이런 일들을 하지 않는 개인에 대해
밀은 사회가 책임을 지도록 강요할 수 있다고 했어.

한편으로 사람은 어떤 행동을
하지 않음으로써
좀 있다
치워야지….
공사
남에게 피해를 줄 수 있는데
공사중
밀은 어떤 경우든 그에 대해서는
책임을 질 수밖에 없다고 했어.
돌을 왜
안 치우신
거예요!!
다만 이 경우에는 훨씬 신중하게
그 책임을 물어야 한다고 봤지.
하지만 경고문도
놓았고… 여긴 인라인
타는 곳이 아닌데….
신중한 행동과
마찬가지로
신중한
판단이….
책임지는 것은 당연하지만
00:01:24
공사
책임 추궁은 어디까지나 상대적으로
조심스럽게 다루어야 한다고 했지.
그렇지 않으면
책임질 일이
정말 너무너무
많겠지?
모든 개인은 자신이 하는 일에
이해관계를 가진 사람들에 대해
그리고 필요하다면 그들의 보호자인
사회에 대해 법적 책임을 져야 해.
책임
그러나 가끔 그런 책임을 지지
않아도 되는 때가 있단다.
그게
언젠데??

사회가 간섭할 권리는 있지만
본인에게 맡겨 두는 것이 훨씬 더 좋은 결과를
가져오거나
사회가 간섭하면 오히려 더 큰 해악을
빚을 위험이 있을 때는
전후 사정을 살펴서 가장 유익한
방향으로 결정을 내리는 것이
바람직하지.
보육원
책임을 지지 않아도
되는 이런 경우에는
개인의 양심에 따라
사람들의 이익을 지키는 데
최선을 다해야 하는 법이란다.
그러나 본인에게만 영향을 주는
행위에 대해서는
사회가 관여해서는 안 돼.
나
말리지 마~~.
나보다
더한 녀석들이군….
말썽왕
여기서
'본인에게만'
이라는 표현을
쓴 것은
본인
=자기 자신
어떤 행위가
낳은 '최초의
직접적인 결과'를
염두에 두고
한 소리야.
본인
최초의?
무슨
말이래?
왜냐하면 엄밀히 따져서 자기 자신에게
영향을 미치는 모든 것은
며칠 동안 화장실을
못 갔더니….
부욱
최초 결과

그 자신을 통하여
타인에게도 간접적으로 영향을
끼칠 수 있거든.
오늘 낮 지하철에서
독가스가….
지하철 독가스
MDC
결국 다른 사람에게
영향을 주지 않는
일은 아무것도 없게
되지.
지금까지 말한 것들을
종합하면 인간 자유의 고유한
영역으로 세 가지를
들 수 있어.
첫째, 내면적 의식의 영역에
자리 잡은 자유가 있어.
자유
이것은 실천, 사색, 과학, 도덕, 신학 등
모든 주제에 대해
가장 넓은 의미에서
양심의 자유,
생각과 감정의 자유
사색
과학
신학
그리고 절대적인
의견과 주장의 자유를
누리는 걸 의미해.
그런데 의견을 표현하고
출판하는 일의 경우에는 이렇게
생각할 수도 있겠지.
가만, 출판
이라면….
호영이의
비밀일기

다른 사람과
관련이 있기 때문에
규제를 받지
않을까요?
저자
나의작품을
사람들이
보니까…
하지만 밀은 출판의 자유도
생각의 자유만큼이나
중요하고
책은 곧
저자의 생각을
옮긴 거잖아.
생각
생각
같은 이유로 보호되어야 하기
때문에 생각의 자유와 떼어
놓을 수 없다고 봤어.
둘째, 자신의 기호를 즐기고
자기가 희망하는 것을 추구할
자유가 있어.
cafe
개성 따라
맞춤 주문!
자기 방식대로 삶을 설계하고 살아갈
자유를 누리는 걸 의미하지.
그 일이 남에게 해를 주지 않는 한
설령 다른 사람의 눈에
어리석거나 잘못되거나 또는
틀린 것으로 보일지라도
간섭해서는
안 된단다.
그러니까
너도 나
간섭하지 마.
너의 괴상한
노래는 피해를
주고 있다고!
착한 척

셋째, 개인의 자유와 똑같은 원리의 적용을 받는 결사의 자유가 있어.
결사?
혹시 이건가?
그거 아녀
결사 반대!
결사란 어떤 목적을 가지고 모임을 결성하는 것을 말해.
지구 온난화 방지를 위한 모임
내복을 입읍시다!
지구를 지키자
남에게 해가 되지 않고 강제나 속임수에 의해 끌려 온 경우가 아니라면
모든 성인이 어떤 목적의 모임이든 자유롭게 결성할 수 있어야 한다는 뜻이란다.
패러글라이딩 동호회
꽃꽂이 모임
역도동아리
밀은 어떤 정부의 형태를 가지고 있든
이 세 가지 자유가 원칙적으로 존중되지 않는 사회라면
결코 자유로운 사회가 아니라고 보았어.
더 나아가 자유 가운데서도 가장 소중하고 또 유일하게 자유라는 이름으로 불릴 수 있는 것은
다른 사람의 자유를 박탈하거나
자유를 얻고자 하는 다른 사람의 노력을 방해하지 않는 한

각자 자신이 원하는 대로 자신의 삶을
꾸려 나가는 자유라고 보았지.
내 삶의 농장
우리의 육체나 정신, 영혼의 건강을 보호하는
최고의 적임자는 바로 자기 자신이기 때문이야.
물론 자기 식대로 살아가다 일이
잘못될 수도 있어.
그렇게 해서 고통을 당할 수도 있지.
편하게 살지….
그러나 설령 그런 결과를
맞더라도 자신이 선택한 길을
가게 되면
다른 사람이 좋다고 생각하는 길로
억지로 끌려가는 것보다는
궁극적으로 더 많은 것을 얻게 된다고
밀은 생각했어.
인간은 바로
그런 존재지.
女최초
sports
대륙 정복!
밀은 이런 주장이 새로운 건
아니지만
우리도 그런 말
해 봤거든!
잘난
척하지
마~
당시 사회의 문제점을
여론
이보다 더 정확하게 지적해 줄
원리는 없을 거라고 했어.
가라!
너희가
원하는
곳으로!
여론

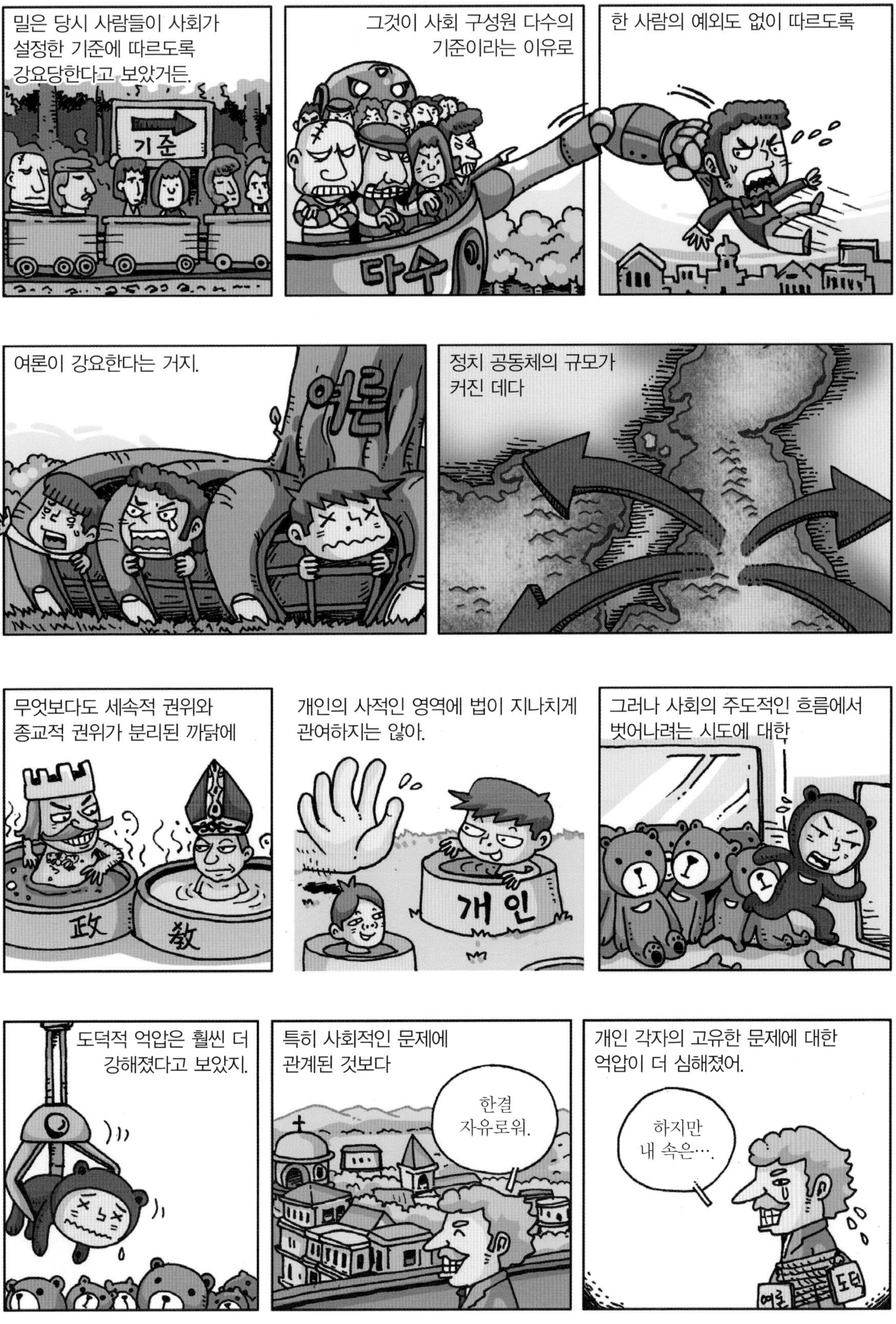
밀은 당시 사람들이 사회가 설정한 기준에 따르도록 강요당한다고 보았거든.
기준
그것이 사회 구성원 다수의 기준이라는 이유로
다수
한 사람의 예외도 없이 따르도록
여론이 강요한다는 거지.
여론
정치 공동체의 규모가 커진 데다
무엇보다도 세속적 권위와 종교적 권위가 분리된 까닭에
政
教
개인의 사적인 영역에 법이 지나치게 관여하지는 않아.
개인
그러나 사회의 주도적인 흐름에서 벗어나려는 시도에 대한
도덕적 억압은 훨씬 더 강해졌다고 보았지.
특히 사회적인 문제에 관계된 것보다
한결 자유로워.
개인 각자의 고유한 문제에 대한 억압이 더 심해졌어.
하지만 내 속은….
여론
도덕

세계 곳곳에서 여론이나
심지어 법의 힘을 통해
개인에 대한 사회 통제를 심하게
확대하려는 경향이 늘어나고 있어.
지도자든 일반 시민이든
공통으로 가진 성향은
자신들의 의견이나 편향된 기호를
다른 사람에게 행위 규범으로
받아들이도록 강요한다는 거야.
차는 무조건 커피!
내가 지키는 것이니 너희들도 지켜야 한다.
나는 주스 먹고 싶은데…
그리고 불행하게도 그 힘은 점점
커지고 있지.
이런 불행을 막기 위한 도덕적
혁신이 일어나지 않는 한
사태는 점점 더 악화될 것이야.
그럼 해결책은 없나요?
우선 이 문제에 대해 '생각의 자유' 로부터 논의를 전개해 볼까?
생각의 자유
많은 사람들이 공감하는 하나의 항목에
집중하는 것이
전체적인 생각을 한꺼번에 펼치는
것보다 더 나을 테니까 말이야.
종교적인 관용과 자유로운 제도를 내세우는 나라들은

생각의 자유를
상당한 정도까지
보장하고 있기는 해.
하지만 일반 사람들은 그 자유의 철학적·실천적
원리에 그다지 익숙하지 않지.
실천적은 무슨
얼어죽을….
먹고 살기도
바쁜데…
심지어 지도층 인사들조차 잘
모르고 있어.
생각의 자유가…
왜 필요한지는
잘 몰라.
그러나 이러한 원리를
정확하게 이해하기만 한다면
원리
자유의 범위는 훨씬 더 넓게
적용될 수 있어.
이 문제를 잘 공부해 놓으면
KOCO
나머지 부분도
좀 더 쉽게
이해할 수 있을
거라고.
쉬워
쉽다고
쉽지 않을 것
같은데….
그럼 이제
본격적으로
시작해 볼까?
생각의 자유
아 참, 생각의 자유 대신
사상의 자유라는 표현도
많이 사용되는 거
알고 있지?
thought
혹시….
착각의 자유도
같은 뜻
아닌가요?

양심의 자유

자유권적 기본권의 하나인 양심의 자유는 역사적으로 국가로부터 종교를 강요받지 아니할 개인의 자유를 보장하려고 했던 것에서 출발했습니다.

따라서 초기의 양심의 자유는 종교의 자유와 관련되어 그 범위도 특정 종교를 억지로 받아들이거나 지켜야 하는 국가적 강제로부터의 자유 또는 자유로운 종교 행사를 위한 것입니다.

그 후 국가가 국교 결정권을 포기함으로써 양심의 자유는 종교의 자유뿐만 아니라 고유한 보호 영역을 가진 독자적인 기본권으로 발전하였고, 이와 함께 그 보호 범위도 종교적 양심뿐만이 아니라 세속적 양심으로 확대되었습니다. 현대에 와서는 좁은 뜻의 양심의 자유라 하면 종교적 차원이 아닌 윤리적 사상, 신념에 대한 속마음의 자유입니다.

대한민국 헌법은 제19조에서 '모든 국민은 양심의 자유를 가진다.' 고 밝히고 있습니다. 사상의 자유를 따로 보장한 규정은 없는데, 이는 양심의 자유와 사상의

자유를 하나로 보았기 때문이죠. 또한 대한민국 헌법은 종교의 자유를 별도의 규정으로 두고 있으므로 양심의 자유란 윤리적 사상을 내용으로 하는 속마음의 자유, 즉 좁은 뜻의 양심의 자유를 뜻합니다.

우리 사회의 양심적 병역 거부자들 문제를 다룬 김두식 교수의 저서 《평화의 얼굴》
– 2007, 교양인

양심의 자유가 의미하는 것은 첫째, 자신의 속마음을 외부에 표명하도록 강요당하지 않을 자유입니다. 이 침묵의 자유는 직접적 강제뿐만 아니라 선서 등과 같은 간접적 방법에 의하여 사상, 양심을 판단하는 일도 금지하고 있어요.

둘째, 자기의 사상과 양심에 반하는 행위를 강제당하지 않을 자유입니다. 독일 헌법에서 양심에 반하는 전투 의무의 수행을 강제받지 않을 권리가 인정되고 있는 것이 그 대표적 예라 할 수 있죠. 양심의 자유는 자연인이 향유하는 권리로 외국인이나 무국적자에게도 보장됩니다.

양심의 자유의 한계에 대해서는 양심의 자유는 속마음의 영역에 남아 있는 경우일지라도 일정한 한계를 가진다는 설, 속마음에 그치는 한 절대적으로 자유라는 설, 외부에 표시된 경우라도 순수하게 사상 또는 양심 그 자체를 표시하는 목적으로 행하면 자유라는 설 등 여러 가지 입장이 있습니다.

제5장 절대적인 확신이 위험한 까닭

*이디 아민 – 쿠데타로 집권한 우간다의 독재자.

그 사람에게
침묵을 강요하는
것은 정당할까?
단 한 사람인데
어때요?
그냥
입을 막아
버리는 거지!
흐흐...
그 한 사람이
바로 자기
자신이라면?
읍읍읍!!!
콱!
히히...

1장에서 잠깐 얘기했지만
이것은 마치 어떤 한 사람이
나는 우주 최고의 힘을 가진 사람이다.
자기와 생각이 다르다고 나머지 사람 전부에게
침묵을 강요하는 것과 같아.
조용!
입 다물라!
그만!
아다다다다다
뭐 하는 거야..
어떤 생각을 억압하는 것이
심각한 문제가 되는 가장 큰 이유는 무엇일까?
그런 행위는 현 세대뿐 아니라
미래의 인류에게까지 강도질을
하는 것이기 때문이야.
2089 미래인
아니, 생각을 억압하는 것이 강도질과 같다고요?
만일 억압했던 그 생각이 옳은
것으로 밝혀진다면
자꾸 까불래!!
지구는 둥글고 태양 주위를 돈다.
진리를 찾을 기회를
박탈하는 것이기
때문이지.
그때 갈릴레이의 주장이 받아들여졌다면 어땠을까?
지동설

설령 그 의견이 잘못된 것이라 하더라도 이를 억압하는 것은
세포 속에 이미 인간의 형상이 들어 있다!
인간의 탄생
와~…
틀린 의견과 옳은 의견을 대비시킴으로써
그게 아니라 유전자가 인간 형성에 관여합니다.
우아~…
DNA
진리를 더 생생하고 명확하게 드러낼 수 있는 소중한 기회를 놓치는 결과를 낳고 말아.
뎅~
이 두 측면에 대해 하나씩 따져 볼 필요가 있는데….
우선 우리가 억압하려는 의견이 있다고 치자.
禁
반대!
세절기
무엇보다 그 의견이 잘못되었다고 어떻게 확신할 수 있지?
그, 그건….
禁
설사 그것이 잘못되었다는 확신이 있더라도
믿습니다!
그것을 억누르는 것은 여전히 옳지 못하단다.
그 이유는 첫째, 권력을 동원해서라도 억누르려는 그 의견이
사실은 옳은 의견일 수도 있기 때문이지.
진리
물론 그 의견을 짓밟으려는 사람들은 이런 사실을 부인하겠지.
아냐 아냐. 그럴 리 없어!
그러나 그들은 완벽한 사람이 아니잖아.
인간은 누구나 실수를 하는 법.

그들은 다른 모든 사람들을
대신해서
그 문제에 대해 결정하고 다른 이들이 판단할 기회를 빼앗을 만큼
절대적 권한을 가지고 있는 게 아니야.
흥!!
우리는 생각이
달라!
만일 그들이 특정 의견이
잘못되었다는
확신 아래
이건
틀린 거야!!
콱!
다른 사람들이 그 의견을 들어 볼
기회조차 막는다면
그것은 자신의 생각이
절대적으로 옳다고
가정하는 것이나
마찬가지야.
스스로 완전하다고 전제하지
않는 한
나 같은
초인도….
모든 토론을 차단해 버릴 수는
없는 거지.
저 많은
입을
어떻게….
그런데 사람들은 흔히
이런 착각에 빠져
난 분명히 옳고
너희들은
틀려!
?
자기와 생각이 다른 것을
용납하지 못해.
내가 옳아!!
불행하게도 인간은
현실적인 문제에 관해서
자신의 판단이 틀릴 수 있다는 사실을
결코 심각하게 고려하지 않아.
내 판단이
옳을걸!

특히 막강한 권력자나 절대적인
복종에 익숙한 사람은
아이 편해..
거의 모든 문제에 대해 자신들의
생각이 절대적으로 옳다는 확신에
빠지기 쉽지.
우리가 무조건 옳지요….
다행스럽게도 어떤 사람들은 때로 자신의
생각이 잘못될 수도 있다는 사실을 인정해.
아하하하~ 틀릴 수도 있지요~.
그런데 그런 사람들도 주변 사람들이나 자신이 존경하는
사람들이 공유하는 생각에 대해서는 똑같이 절대적으로
신뢰하는 경향을 보인다고 해.
하지만 저곳의 저분들의 생각은 절대적으로 옳지!!!!!
사람들은 자신의 독자적인
생각에 자신감이 없으면
없을수록
텅~
자신이 속한 집단의 권위에
맹목적인 신뢰를 가지고
의지하게 되기 때문이지.
심지어 사람들은 다른 시대나 국가, 다른 집단이나 교회 계급,
그리고 정당 등이 자기 집단과 정반대로 생각해 왔고
알라여!
민주주의.
지금도 그렇게 생각하고 있다는
사실을 알게 되더라도 전혀
영향을 받지 않는단다.
그게 우리랑 무슨 상관인데?

밀은 이런 사람들은 자신이 정당하다는 것을 증명하는 책임을 자신이 소속된 집단에 떠넘기는 자들이라고 보았어.
책임
시대 역시 개인과 마찬가지로 오류를 저지를 수 있단다.
한 시대에서 주장되었던 의견들이
지구는 평평하다!
탈레스
시간이 지나고 나면 잘못되거나 우스꽝스럽게 여겨지는 경우도 많거든.
에이~ 지구는 둥글죠.
마젤란
과거에 일반적으로 받아들여졌던 많은 의견들이 현재는 거부되고 있는 것이 확실하듯이
현재 일반적으로 받아들여지고 있는 많은 의견들이 미래에는 거부될 것도 확실하지.
2089 미래인
확실히 부도덕하고 불경건한 것으로 보이는 경우에도
신이 팬티밖에 걸치지 않다니….
자신에게는 절대로 오류가 있을 수 없다고 전제하는 태도는 여전히 위험하단다.
오히려 이런 경우에 치명적인 실수를 저지르기 쉬워.
한 세대의 사람들이 이런 식으로 무시무시한 잘못을 저지르게 되면

그 결과가 다음 세대에까지 엄청난 해악을 끼치게 된단다.
우리는 이런 생생한 사례들을 종종 볼 수가 있어.
즉 법을 내세워 인류가 자랑스러워해야 할 훌륭한 사람들과
아주 소중한 주장을 박해하는 경우를 말이야.
그런 사례를 몇 가지만 살펴볼까?
우선 소크라테스가 있지!
Socrates (BC 469-BC 399)
소크라테스가 법률 당국과 대중 여론을 상대로 싸움을 벌였던 사건이 그중 하나야.
소크라테스 라면….
기원전 5세기경에 활동한 고대 그리스 철학자야.
악법도 법이다
사람들은 그를 당대가 낳은 최고의 도덕적 인물이라고 일컬어.
허허허…
소크라테스는 그 이후 등장하는 모든 철학자들의 시조에 해당하는 사람이고
세계 4대 성인 중 하나라고 하지.
Socrates
Platon
Aristoteles
구름이우스

모든 지식인들의 선생이자 철학의 양대 산맥이라고
할 수 있는 플라톤과 아리스토텔레스의 위대한 스승이기도 해.
소크라테스는 평생 글을 쓰지 않았어. 소크라테스의 기록은 플라톤이 남겼지.
대화
파이돈
크리톤
변명

오랜 세월이 지났지만 그의 명성은 오히려
더 높아만 가고 있단다.

그의 조국 아테네를 빛낸 사람을 모두
합쳐도 소크라테스 한 사람을 당하지 못할
정도라고 하지.

그러나 아테네 사람들은 이 위대한 인물을
법정에 세운 뒤
소크라테스는 독배를 마셔라!

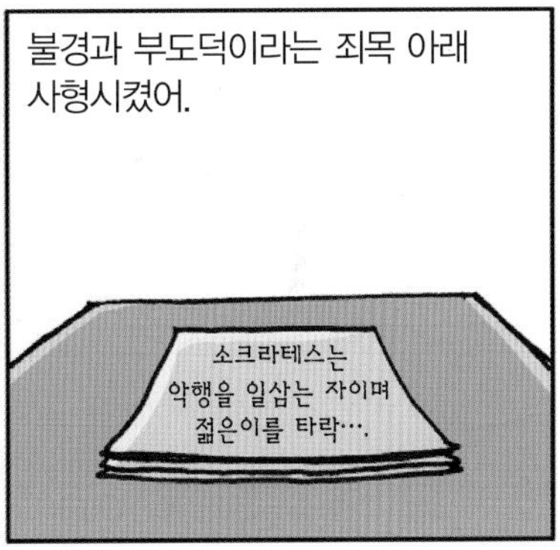
불경과 부도덕이라는 죄목 아래
사형시켰어.
소크라테스는 악행을 일삼는 자이며 젊은이를 타락….

나라에서 공인하는 신들을 부인했다는
이유로 불경죄를 덮어씌운 거지.

사실 그를 고소한 자들은 그가 아예 어떤
신도 믿지 않는다고 비난했대.
소크라테스는 철저한 무신론을 주장하고 있습니다.
아니토스
리콘
멜레토스

소크라테스는 또한 그의 철학과 강좌를 통해
'젊은이들을 타락시켰다.'는 이유로 고발됐어.
부도덕
이런 혐의에 대해 그 당시 법정은 성실한 재판 과정을 거친 뒤
소크라테스에게 유죄 판결을 내렸어.
소프로니코스의 아들이자 아테네 시민인 소크라테스에게….
어쩌면 지구 상에서 최고의 인물로 평가되어야 할 소크라테스를 범죄자로 몰아 사형에 처하고 만 거야.
아테네 시민 여러분! 이제 여러분들은 소크라테스를 죽였다는 오명을 뒤집어쓸 것입니다.
소크라테스에게 유죄 판결을 내린 사람들은 소크라테스의 죄를 확신했어.
배심원들은 최종 판결을 내리는 바….
그리고 자신들에게는 전혀 오류가 없을 거라고 확신했지.
각자의 길을 갑시다! 나는 죽기 위해서! 여러분은 살기 위해서!
COCOA
법의 이름으로 저질러진 사건이 하나 더 있어.
LAW
이 역시 앞의 사건 못지않게 충격적이지.
얼마나 큰 충격이기에…?
골고다 언덕이 요동칠 정도였지.
골고다라면?!
New Testament

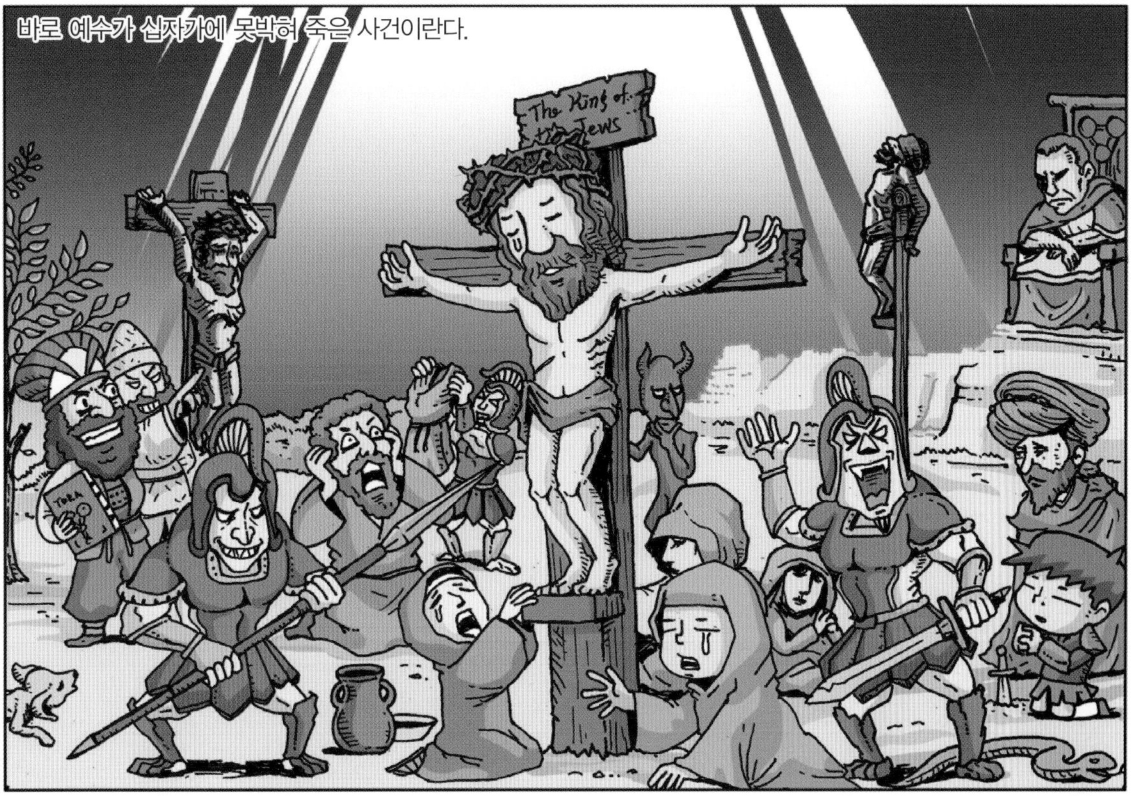
바로 예수가 십자가에 못박혀 죽은 사건이란다.
The King of the Jews
TORA

예수의 일생과 그가 남긴 말씀을 보고 들었던 사람은
그분의 위대한 도덕성에 감명을 받았습니다.

그분을 지극히 존경해 마지 않았어. 오랜 세월이 지나도 그 말씀은 고스란히 남았지.

그러나 예수는 불명예스럽게도 십자가형을 당하고 말았어.

도대체 무슨 죄목이었을까?
5,000명을 먹이신 죄?
가난한 사람을 사랑한 죄?

어이없게도 신을 모독했다는 이유였어.
그가 신성 모독하는 말을 하였으니 어찌 더 증인을 요구하리요!!

이처럼 한심스럽고 안타까운 일들을 뒤돌아볼 때
그들을 죽음으로 몰고 가는 악역을 담당했던 사람들에 대해서도 생각해 볼 필요가 있어.
그들은 그 당시 전혀 악인이 아니었을 거야.
우리는 단지 도덕과 신앙으로 판결을 내린 것뿐이오….
백성의 뜻을 따랐을 뿐.
나도….
오늘날 수많은 사람들이 그들의 행동을 비난하지만
당해 봐랏!
우리들도 그 시대에 태어났더라면
네가 한번 해 보시짓!
휙
그와 똑같은 일을 저지를 수 있다는 게 밀의 생각이야.
에헴~
처형시켜.
호호호~
오류를 저지르는 사람이 매우 지혜롭고 미덕을 갖추고 있는 경우는 더욱 충격적이야.

바로 마르쿠스 아우렐리우스 황제의 경우가 그래.
본인은 로마 제국 제16대 황제올시다.
「ROME」 Marcus Aurelius」
그는 최고 권력을 누렸을 뿐만 아니라 최고의 지혜를 가졌다고 자부할 만한 사람이었지.
BEST SELLER
명상록
아시죠? 나의 베스트셀러 《명상록》!
명상록
Tōn eis heauton diblia
그는 절대 권력자였지만 정의감이 넘치고 심성이 따뜻한 사람이었어.
그가 저지른 작은 실수와 약점들은 그의 관대함에서 비롯된 것이라고 할 정도란다.
허허헐~
고대인의 윤리학 관련 저술 가운데 최고로 인정받는 《명상록》은
Tōn eis heauton diblia Marcus Aurelius
예수의 대표적인 가르침과 매우 비슷한 내용을 담고 있다고 해.
조금만 더 넓게 해석한다면, 아우렐리우스는 그의 뒤를 이었던 왕들 가운데 가장 그리스도교적인 사람이었대.
개방적이고 막힘이 없는 지성의 소유자였으며
GERMAN Quest
게르만족 전략전술
고결한 인품을 가진 그의 글 속에는 그리스도교적인 이상이 가득했지.
Τὰ εἰς ἑαυτό
παρὰ τοῦ πάππο
παρὰ τῆς δόξη
παρὰ τῆς μητ
그런 그가 그리스도교를 박해했단다.
헉! 이해가 안 돼요.
그가 보기에 당시 사회는 몹시 불안했어.
어떻게 해서라도 사회가 붕괴되는 건 막아야 해….

이런 상황에서 그리스도교가 혁명적 변화를 부르짖고 있었던 거지.
새로운 세상이 도래할 것이오!
따라서 그로서는 그리스도교를 탄압하는 쪽을 택할 수밖에 없었단다.
그는 자신이 맡은 바 임무를 열심히 수행하는 과정에서
그리스도교는 우리 사회의 해악이다.
그리스도교가 오히려 좋은 영향을 끼친다는 사실을 깨닫지 못했던 거야.
철학자와 지도자들 중에서 가장 너그럽고 온화한 사람이었던 그가
신성한 의무를 수행한다는 생각에 그리스도를 박해한 거지.
고심 끝에 결정한 것이므로….
밀은 아우렐리우스의 그리스도교 탄압이 인류 역사상 가장 비극적인 사건이라고 생각했어.
그래서 마르쿠스 아우렐리우스보다 더 현명하고 지혜롭고 진리를 찾는 열정이 뛰어나다고 자부하지 못한다면
자신과 대중이 절대 진리를 알 수 있다는 가정을 던져 버려야 한다고 했어.
절대로 옳다는 생각은 버려.
쫙~
그런데 이런 주장을 하는 사람들이 있어.
그리스도교 박해자들은 옳았다.

왜냐하면 박해는 진리가 반드시 통과해야 할 시련이고
항상 그것을 성공적으로 통과하기 때문이다.
그래야 진리가 더욱 돋보이거든!!
와~
God Bless
이것은 아무리 박해를 하더라도 진리에는 해를 끼칠 수 없기 때문에
진리는 어떻게든 승리하므로!
짝짝짝~
짝짝
진리를 박해하는 것이 정당화될 수 있다는 주장이야.
이런 주장을 하는 사람이 고의적으로 새로운 진리를 방해한다고 비난할 수는 없지만
새로운 진리를 밝혀 준 사람들을 너그럽게 대했다고도 볼 수 없단다.
진리는 원래 힘든 거야!
파이팅!
이전까지 알려지지 않은 진리를 밝혀내거나
그동안 잘못 알고 있었던 문제를 바로잡게 해 주는 일은
한 인간이 동포에게 베풀 수 있는 가장 중요한 봉사 활동이야.
그런데 박해에 대해 그런 견해를 가지게 되면
진리가 그렇게 쉬우면 안 되지!!
이처럼 훌륭한 업적을 이룬 사람들이 보상은커녕 억울하게 핍박을 받아도

진실로 그것이 진리라면 이러한 박해는 이겨낼 거라며 정당화할 테니까 말이야.
박해를 이기지 못하면 그것은 거짓일 터!
아하하하하~.
도와주지는 못할망정.
실제로 진리가 항상 박해를 극복했다는 주장은 옳은 주장이 아니야.
역사는 박해에 쓰러져 간 진리의 예들로 가득 차 있어.
眞
진리의 무덤
영원히 묵살되지 않더라도 수세기 동안 가라앉아 있을 수도 있고.
지동설의 경우를 봐.
지구는 움직인다!
달
천동설이라 하지요.
당시엔 지구가 만물의 중심이며 세상을 이렇게 만든 것은 하느님의 뜻이라는 믿음이 있었어.
따라서 지동설은 하느님에 대한 불신을 의미했고, 탄압을 받을 수밖에 없었어.
이단이닷!
지동설
지동설을 처음 주장한 코페르니쿠스는 죽어서야 책을 출판할 수 있었어.
나는 죽어서 책을 남겼노라.
코페르니쿠스
브루노는 지동설을 주장했다가 화형을 당했고, 갈릴레이도 종교 재판에 회부되어 지동설을 부인하기에 이르지.
지동설이 온갖 박해에도 살아남기는 했지만 오랫동안 묻혀 있을 수밖에 없었던 거지.
천동설
지동설

진리가 단지 진리라는 이유로
온갖 박해를 극복하는 고유의 힘을 가진다는 것은
헉!
살만해!
어~ 시원타~~
근거 없는 착각인 거지.
진리를 향한 인간의 정열은 그다지 강력한 것이 아니기 때문에
진리고 뭐고 싫어!!
살려줘
강력한 사회적 제재가 있으면 진리의 전파를 중단시킬 수 있어.
밀은 다만 진리가 가지는 진정한 이점이 있다면
그것이 여러 번 박해로 소멸될지라도
세월이 흐르는 동안 그것을 다시 발견하는 사람들이 나타나서
좋은 시기를 만나 박해를 피하게 되거나
진리
또는 박해에 맞서 싸워 이길 만한 힘을 가지게 될 때까지 거듭 전진해 왔다는 사실에 있다고 했어.

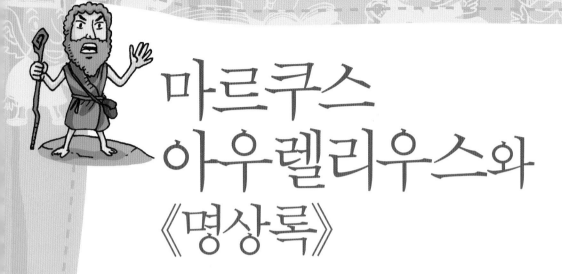

마르쿠스 아우렐리우스와 《명상록》

로마 제국의 제16대 황제이자 스토아학파의 철학자였던 마르쿠스 아우렐리우스는 121년, 제국의 수도 로마에서 태어났습니다. 당시 로마는 하드리아누스 황제 아래 최고의 평화와 번영을 누리고 있었습니다. 그러나 아우렐리우스가 황제가 되었을 때 로마 제국은 이미 전성기를 지나 쇠락의 길로 들어서고 있었죠. 특히 주변 다른 민족들의 크고 작은 침략에 시달리는 형편이었고, 아우렐리우스는 전쟁터에서 많은 시간을 보낼 수밖에 없었습니다.

그가 세상을 떠난 것도 북방 변경 지역의 전투에서 돌아오던 중이었죠. 아우렐리우스는 열병에 걸려 6일 동안 앓다가 180년 3월 17일에 로마에서 멀리 떨어진 현재의 빈 지역에서 세상을 떠났다고 해요. 그의 《명상록》은 침략을 막기 위해 분주하게 돌아다니던 시절에 군대 막사나 전쟁터에서 쓰인 것입니다. 이 책에는 원래 '나 자신을 훈계함'이라는 제목이 붙어 있었습니다. 누구에게 보여 주기 위해 쓴 책이 아니라 스스로에게 보내는 훈계였던 거죠.

아우렐리우스는 로마 제국 전성기의 마지막 황제였다.
— 로마, 카피톨리니 박물관.

《명상록》은 모두 12장으로 나누어져 있습니다. 1장은 가족을 비롯하여 자신에게 큰 영향을 미친 인물들에 대해 이야기하는 내용이고, 1장을 제외한 나머지 장들은 철학적 · 윤리적인 생각들로 채워져 있답니다. 그리고 각 장의 특징은 없는데, 체계적으로 12장을 나눈 것이 아니라 편의상 나누어 놓았죠. 스스로 인생을 올바로 살기 위하여 경계한 것, 행한 일을 반성하고 스토아적 입장에서 스스로에게 충고한 것, 귀감이 될 만한 다른 사람의 글을 발췌한 것 등으로 그 내용이 구성되어 있습니다.

《명상록》의 기본 정신은 스토아 철학에서 찾을 수 있습니다. 스토아 철학에서는 우리가 바꿀 수 있는 것은 우리 자신의 마음뿐이며, 그 밖의 다른 모든 것은 철저하게 필연적으로 결정되어 있다고 봅니다. 따라서 내면 바깥의 사물이나 일에 의해 마음이 흔들리지 않는 상태, 그러니까 마음이 흔들리지 않는 평정의 상태야말로 인간의 가장 큰 행복이라는 거죠. 그러니 우리는 우리의 이성을 발휘하여 우주적 이성의 깊은 뜻을 깨달아 기쁨도 슬픔도 없는 마음의 평화를 찾아야 한다는 것입니다.

아우렐리우스는 이런 가르침대로 평생을 살았어요. 후에 자식을 잃은 아우렐리우스는 이렇게 자기 자신을 타일렀다고 합니다.

'어리석은 사람은 이렇게 묻는다. 내 아이를 잃지 않기 위해서는 어떻게 해야 하냐고. 하지만 그대는 이렇게 물어야 한다. 아이를 잃은 슬픔을 이겨내기 위해서는 어떻게 해야 합니까? 라고.'

제6장
가장 정확한 진리를 얻는 방법

'마르쿠스 아우렐리우스보다 더 현명하고 낫다.' 고 자부하지 못한다면
나조차도 실수를 할 때가 있지.
자신과 대중이 절대 진리를 알 수 있다는 가정을 던져 버려야 한다는 말은 무슨 뜻일까?
뻥
사람은 누구나 다 실수를 할 수 있으므로 어느 누구도 판단하려 해서는 안 된다는 건가?
째깍 째깍
째깍
째깍
째깍
째깍
00:28
폭파 시간
그럼 누구도 정확히 판단할 수 없다는 거 아냐?
우리 생각이 틀릴지도 모른다는 두려움 때문에
생각
각자가 자기 생각에 따라 행동하는 것을 완전히 포기한다면 어떻게 될까?
포기
포기
기권
포기

우리는 자신의 이익에 아무런 관심을 보일 수도 없고 마땅히 해야 할 의무도 수행할 수 없게 되어 버릴 거야!
의욕 상실….
미래
'누구도 절대 진리를 알 수 없으므로 아무도 판단해서는 안 된다.'
하지 마, 어차피 알 수도 없는걸.
이렇게 말하는 것은 옳지 않아.
자유론 특강
지금은 옳다고 받아들여지는 생각을 과거에 어떤 사람이 주장했다가
지구는 둥글다!!
탄압을 받은 사실이 있다고 해서
지구는 네모야!! 알간!!
스스로 진리라는 확신이 드는데도
지구가 둥근 건 맞는데….
자기 생각을 행동으로 옮기는 데 주저하는 것은 옳지 않단다.
나만 살면 되지 뭐….
지구는 네모다~
그리고 사람들에게 해가 될 것이 분명한 주장이 확산되도록 내버려 둔다면
그것은 양심적인 행동이 아니라 비겁한 거지.
그럼 어떻게 해야 하는 거지?
사람이나 정부나 능력이 닿는 한
최선의 길을 찾아 행동해야 해.
최선

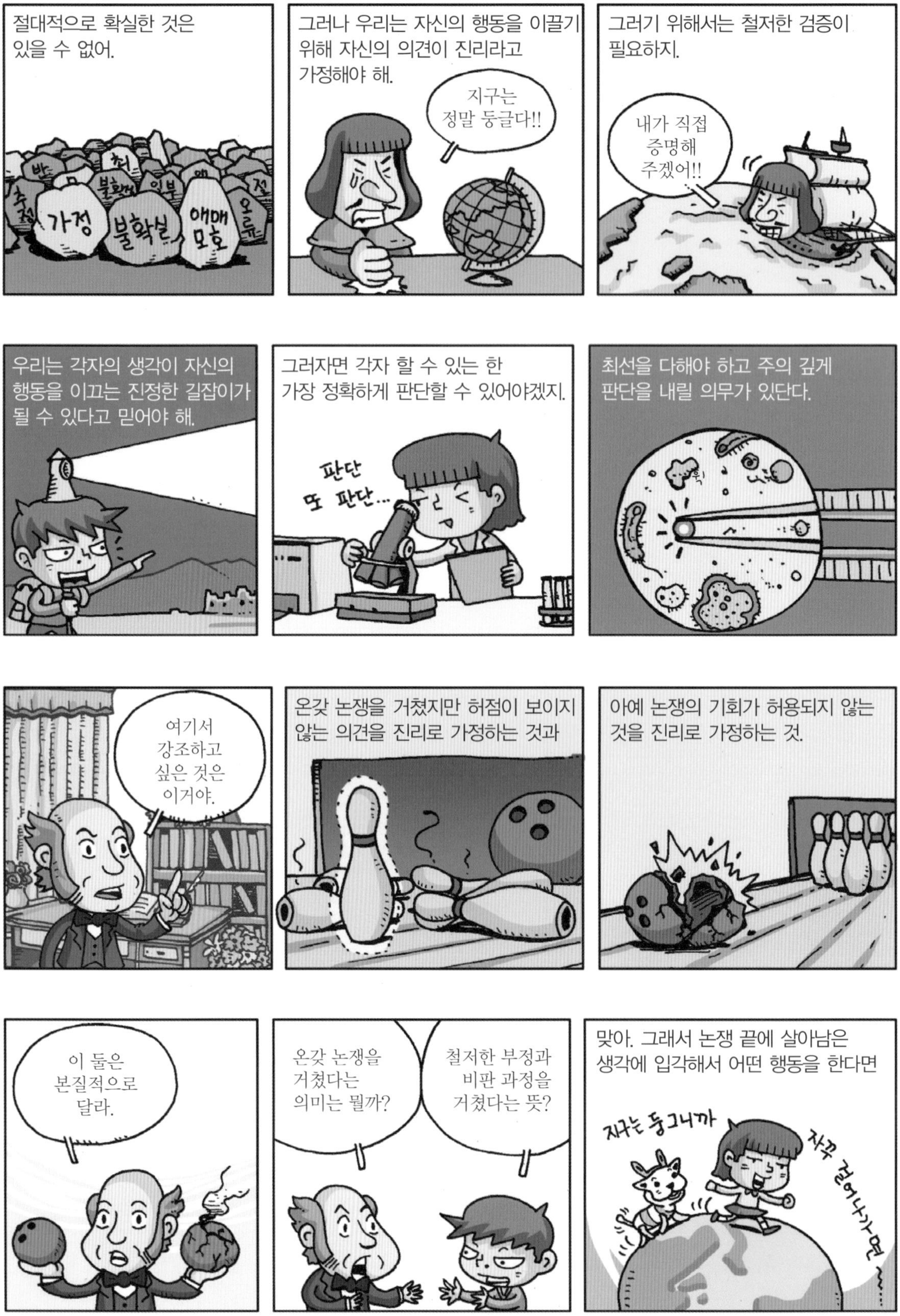

절대적으로 확실한 것은 있을 수 없어.
가정
불확실
애매모호
오류
그러나 우리는 자신의 행동을 이끌기 위해 자신의 의견이 진리라고 가정해야 해.
지구는 정말 둥글다!!
그러기 위해서는 철저한 검증이 필요하지.
내가 직접 증명해 주겠어!!
우리는 각자의 생각이 자신의 행동을 이끄는 진정한 길잡이가 될 수 있다고 믿어야 해.
그러자면 각자 할 수 있는 한 가장 정확하게 판단할 수 있어야겠지.
판단 또 판단…
최선을 다해야 하고 주의 깊게 판단을 내릴 의무가 있단다.
여기서 강조하고 싶은 것은 이거야.
온갖 논쟁을 거쳤지만 허점이 보이지 않는 의견을 진리로 가정하는 것과
아예 논쟁의 기회가 허용되지 않는 것을 진리로 가정하는 것.
이 둘은 본질적으로 달라.
온갖 논쟁을 거쳤다는 의미는 뭘까?
철저한 부정과 비판 과정을 거쳤다는 뜻?
맞아. 그래서 논쟁 끝에 살아남은 생각에 입각해서 어떤 행동을 한다면
지구는 둥그니까
자꾸 걸어나가면~….

그 행동의 타당성은 매우 높아질 수 있어.
세계 일주 성공!
마젤란
이렇게 하면 보통 사람이라도
룰루
인간 능력이 허용하는 최고 수준의 합리성을 확보할 수 있는 거야.
어라?
1
인류가 발전시켜 온 생각과 행동의 역사를 놓고 볼 때
침략
모험
발명
전쟁
식량
개발
우리의 삶이 더 나빠지지 않고 유지될 수 있는 까닭은 무엇일까?
유지! 유지!
그건 바로 사람들에게 자신의 잘못을 고칠 수 있는 능력이 있었기 때문이야.
그러면 자신의 잘못을 고칠 수 있게 하는 것은 무엇일까?
밀은 바로 토론과 경험이라고 보았어.
경험만으론 부족해.
1 2 3 4 6 7
경험을 올바르게 해석하자면 토론이 반드시 있어야 하지.
잘못된 생각과 행동은 사실과 논쟁 앞에 점차 그 힘을 잃게 되는 법이란다.
사실
잘못
그러나 사실과 논쟁이 인간 정신에 어떤 영향을 주기 위해서는
사실

그에 대한 해석이 필요한데 그 해석의 과정이 바로 토론이란다.
사
사실이 스스로 진실을 드러내는 경우는 거의 없으니까
사실에 관한 사람들의 해석이 있어야 그 의미를 알 수 있게 되는 거지.
어떤 사람의 판단이 진실로 믿음직하다고 할 때
따르라!
그 믿음은 어디에서 나오는 것일까?
머리 가슴 배?
그것은 바로 자신의 생각과 행동에 대한 다른 사람의 비판에 늘 귀를 기울이는
개방적인 자세에서 비롯된단다.
자신에 대한 반대 의견까지 주의 깊게 듣고
듣기 싫은 소리를 피하기보다 정면으로 맞서고
다양한 측면에서 제기될 수 있는 수많은 비판을 막지 않고
그중 옳은 것은 받아들여 이득을 얻고 틀린 것은 틀린 이유를 깨우쳐 갈 때

그 판단은 신뢰를 얻게 되는 거야.
현명한 사람치고 이 방법을 모르는 사람은 없어.
나 포함..
어떤 문제에 대해 가능한 한 가장 정확한 진리를 얻기 위한 방법은 무엇일까?
진리
그 방법은 서로 다른 의견을 가진 모든 사람들의 생각을 들어 보고
다양한 처지에 있는 사람들의 시각에서 그 문제를 이모저모 따져 보는 거야.
예를 들어 로마 가톨릭교회에서는
어떤 사람을 성인의 자리에 올리는 의식에서조차도
일종의 '악마를 옹호하는 사람' 을 입장시켜서
참을성 있게 그의 말을 듣는대.
방관
횡령
독재
수용소
사기
빙자
불결
인간으로서 최고의 경지인 성인이라고 하더라도

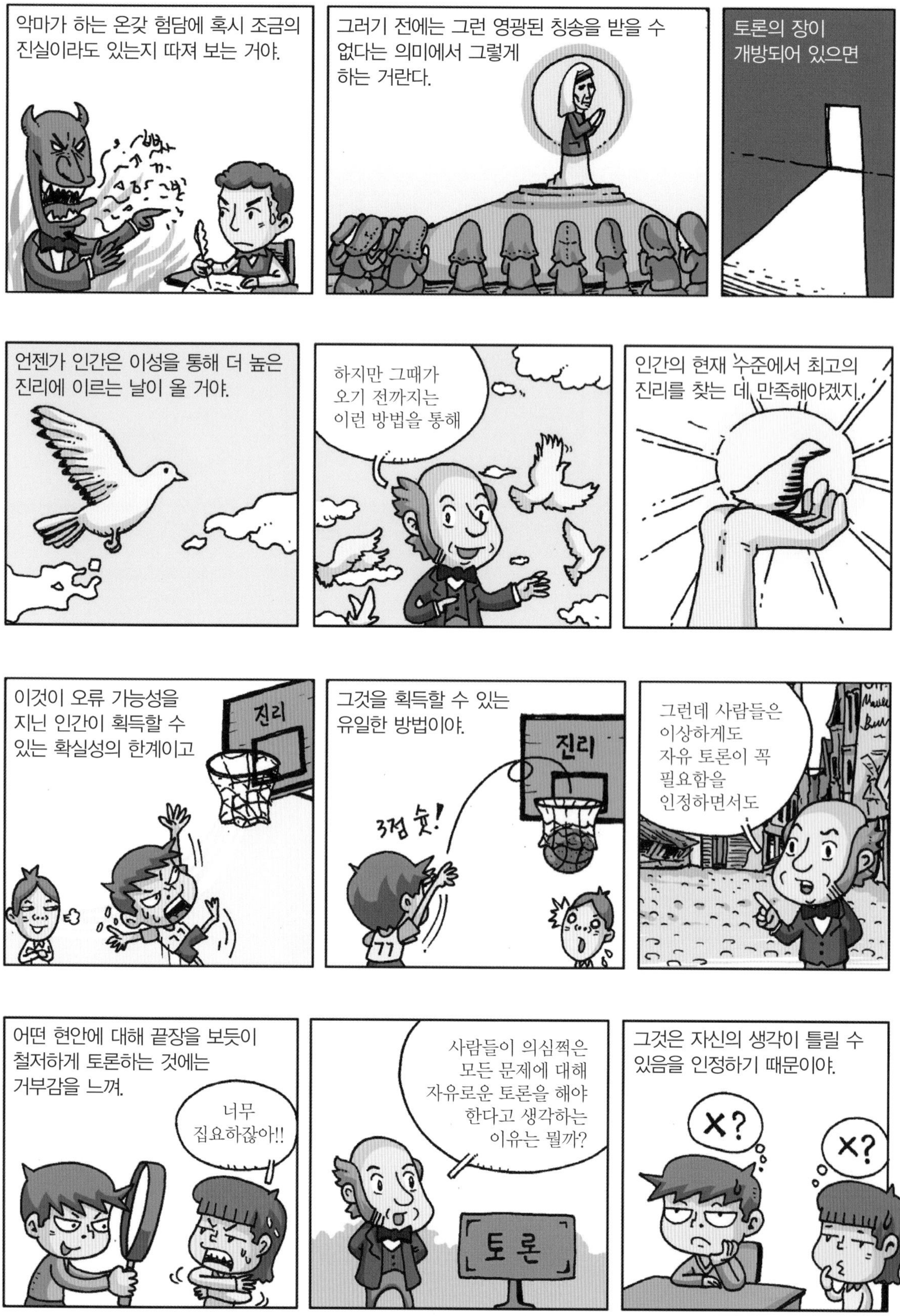

악마가 하는 온갖 험담에 혹시 조금의 진실이라도 있는지 따져 보는 거야.
그러기 전에는 그런 영광된 칭송을 받을 수 없다는 의미에서 그렇게 하는 거란다.
토론의 장이 개방되어 있으면
언젠가 인간은 이성을 통해 더 높은 진리에 이르는 날이 올 거야.
하지만 그때가 오기 전까지는 이런 방법을 통해
인간의 현재 수준에서 최고의 진리를 찾는 데 만족해야겠지.
이것이 오류 가능성을 지닌 인간이 획득할 수 있는 확실성의 한계이고
진리
그것을 획득할 수 있는 유일한 방법이야.
3점 슛!
진리
77
그런데 사람들은 이상하게도 자유 토론이 꼭 필요함을 인정하면서도
어떤 현안에 대해 끝장을 보듯이 철저하게 토론하는 것에는 거부감을 느껴.
너무 집요하잖아!!
사람들이 의심쩍은 모든 문제에 대해 자유로운 토론을 해야 한다고 생각하는 이유는 뭘까?
토론
그것은 자신의 생각이 틀릴 수 있음을 인정하기 때문이야.
X?
X?

그런데도 어떤 특정한 원칙이나 주장은 그것이 너무나 확실하다고 생각해서
이건 바닷물이라 먹을 수가 없어!
자신들이 그것을 확신한 나머지 의문시되어서는 안 된다고 생각해.
바로 옆에 민물이 흐르는데….
사람들이 마음 놓고 믿는 것도 꼭 토론을 해야 할까?
「익히 잘 아는 진실」
밀은 그렇게 확신하는 진리일수록 온 세상 앞에서 철저히 검증을 받아야 한다고 보았어.
바닷물이 짠지 먹어 봐야 알지.
후읍
그래야 그 믿음이 단단해진다고 생각했지.
정말 짜구나 쿨럭….
덜덜~
그리고 그런 검증의 기회가 주어지지 않은 경우에는
익히 잘 아는 진실
토론 불가
그것이 절대 진리라고 확신해서는 안 된다고 주장했어.
만지지도 못하게 해 놓고 어떻게 믿으란 거야?
또한 일단 검증을 받았으나 허점이 드러나지 않은 경우에도
「익히 잘 아는 진실」
그것이 절대 진리라고 확신할 일은 아니라고 했지.
흥! 우쭐대기엔 아직 일러!
「익히 잘 아는 진실」
왜냐하면 그것은 인간이 현재 이성이 허용하는 수준 안에서 검증을 받은 데 지나지 않기 때문이야.
인간의 이성이 가야 할 길은 아직 멀다!!

또한 어떤 주장은 옳다기보다 사회적으로 중요하기 때문에
중요
이를 지켜 주어야 한다고 주장하는 사람이 있어.
우리나라를 발전시킬 기술입니다!!
그때는 그런 주장이 사회의 복지와 이익을 위해 대단히 유용하기 때문에
선진국을 위하여!!
SPACE
정부가 그 생각을 보호하는 것이 다른 어떤 이익을 지키는 것만큼 중요하다고 생각하는 거야.
SPACE
유용하다거나 효용이 있다는 의미는 쓸모가 있다는 얘기니까.
명왕성을 탐사하고 올 수 있습니다!
웅성
웅성
그러나 이런 생각을 따르면 어떤 문제가 생길까?
유용성
그러면 어떤 주장이 진리냐 아니냐가 아니라
어떤 동력으로 돌아오나요?
유용하냐 아니냐를 기준으로 토론의 자유를 억압하는 것이 정당화될 수 있어.
이렇게 유용한 기술을 의심하는 거냐!!
그 결과 자기 생각은 절대적으로 옳다고 주장하는 데 따르는 책임을 덜 수 있게 되지.
책임
이것은 내 생각은 결코 틀릴 수 없다는 믿음이
난 완벽해. 난 세계 최고야 난 항상 옳아……
그 형태만 달리 한 것에 지나지 않아.
신기술이 나라를 구합니다!!
와
와
하나의 주장이 유용하다는 것은 그 자체가 의견이거든.
이것 역시 반박될 수 있고 토론의 여지가 있지.

그래서 유용성을 판단하기 위해서도 그 생각의 진리 여부에 대해 그러는 것만큼 자유롭고 치열한 토론을 거쳐야 한단다.
쿵
철저한 검증을 위해 토론을 합시다!!
감히!!
토론회
실제로 유용한지 아닌지 또 사람들에게 해를 끼치는지 아닌지를 결정하려면
그것이 틀렸는지를 판정할 때만큼 검증이 필요하다는 얘기지.
가짜!!
만약 한 이교도가 이렇게 말한다면
비록 내 생각이 진리라고 주장하는 것은 아니지만
순대진리교
우리 종교는 나름대로 효용이 있어. 남들에게 해를 끼치지 않거든.
순대천국 소세지옥
우린 맛있지.
이것이 과연 논리에 맞을까?
도를 아십니까?
어떤 생각이 담고 있는 진리는 그 생각이 가진 효용의 일부야.
진리
어떤 한 의견을 믿어도 되는지 알고 싶을 때
목말라..
의견
그것이 진리인지 아닌지를 제쳐 두고 판단한다는 것이 가능한 일일까?
믿을 게 못 돼도 믿을래?
진리와 배치되는 생각은 결코 유용할 수 없어.
효용의 문제는 전적으로 진리의 문제에서 출발해야 해.
진리

그리스도교의 분파

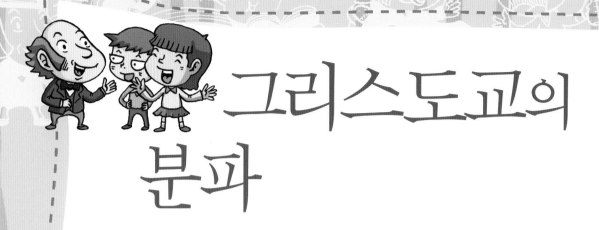

그리스도교는 예수를 그리스도, 즉 구세주로 믿는 종교로 현재 이 지구 상에 있는 그리스도교를 크게 셋으로 구분하면 가톨릭 교회, 동방 정교회, 개신교(프로테스탄트)로 나눌 수 있습니다.

가톨릭은 로마 교황을 정점으로 하는 그리스도 교회예요. 그리스도교는 십자가에 못 박혀 죽었다가 부활한 예수를 그리스도(즉 구세주)라고 선교한 열두 사도의 활동으로 로마에 전파되었으며, 로마에 정착하게 된 후 '가톨릭(보편적인)' 이란 단어를 사용하게 되었습니다. 후에 동로마 가톨릭은 동방 정교회라 하여 갈라졌고 서로마 가톨릭은 그대로 '가톨릭' 이란 단어를 사용하며 발전하였습니다. 다시 말해서 예수 그리스도가 세우고 사도 베드로로부터 이어오는 교회가 바로 가톨릭인 것이죠. 사도 베드로는 제1대 교황이라 할 수 있어요.

개신교는 가톨릭 교회에서 갈라져 나온 공동체입니다. 1517년 마르틴 루터가 종교 개혁을 일으키기 전까지만 해도 개신교는 이 지구 상에 존재하지 않았습니다. 16세기 당시 가톨릭 교회가 부패하고 그리스도의 가르침을 근본적으로 왜곡하고 있다고 판단한 루터와 칼뱅 등 종교개혁 지도자들은 그리스도와 성경의 본래적 가르침으로 돌아가기 위하여 가톨릭 교회의

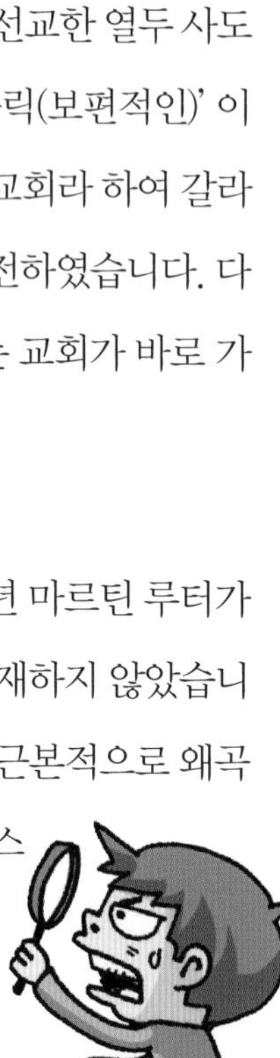

자체 개혁을 주장하였습니다. 이러한 과정에서 교황청과 결별하고 새로운 이름으로 교회 공동체가 만들어지게 되었고 이것이 개신교의 시작입니다. 그 후 개신교는 여러 교파들로 발전하였습니다.

마르틴 루터는 면죄부를 파는 교회를 강력히 비판하면서 종교 개혁을 이끌었다.

여기서 프로테스탄트라는 말은 'protest(항의하다)'에서 나온 말로, 가톨릭 교회가 그리스도의 정신을 왜곡하고, 교황청이 면죄부를 파는 등 도덕적으로 타락하자 이에 항의하고 그것에 저항한 것을 의미합니다.

루터는 종교 개혁 운동의 도화선이 된 '95개조 의견서'(1517)에서 새로운 신앙 원리를 제시하였습니다. 루터는 벌과 죄책으로부터의 완전한 사면은 진실한 회개뿐이라고 주장하였습니다. 또 구원은 하느님만이 할 수 있다고 했으며, 사람은 단지 믿음에 의해서만 의롭게 되며, 그 믿음의 근거는 성서밖에 없다고 주장하였습니다. 가톨릭의 사제 제도에 반대하여 모든 신자가 하느님의 사제임을 주장하며 성직자 계층의 존재를 부정한 루터의 신앙 원칙은, 가톨릭 교회 체제의 토대를 뿌리부터 무너뜨려 유럽을 종교 개혁의 물결 속으로 몰아넣는 계기가 되었습니다.

동방 정교회는 로마를 중심으로 유럽의 동쪽(그리스, 불가리아, 폴란드, 러시아, 체코 등)에 주로 분포해 있으며 정교회란 정통 교회의 줄임말입니다. 교회의 대분열 이후 콘스탄티노플을 중심으로 성립된 교파로, 로마 가톨릭과 달리 지역별로 별도의 체제를 갖추고 있습니다. 가톨릭의 교황청처럼 초국가적인 조직을 갖지 않으며, 그리스 정교회, 러시아 정교회처럼 국가별, 민족별로 별도의 체제를 갖추어 왔습니다.

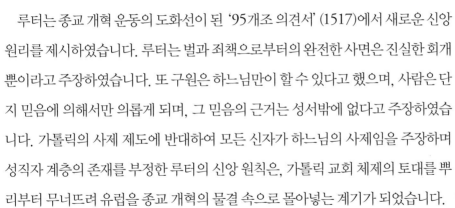

여론
제7장
다수라는 이름의 폭력, 여론
자유

여론이 뭘까?
갑자기 생각 안 나네….
많은 사람들의 생각?

여론 조사라는 말 들어 봤지?
김영리서치 입니다~.

어떤 문제에 대해 사회 구성원들의 의견을 조사하는 게 여론 조사야.
좋아하는 가수를….
조용필이오.

이렇게 해서 나온 공통된 의견을 여론이라고 해.
5,873
골든 가요제
1,625

그런데 여론의 힘은 염려스러운 부분이 있단다.
여러 사람의 의견이 여론인데 잘못될 게 뭐가 있나요?

물론 지금은 옛날처럼 새로운 주장을 한다고 해서 사람들을 처형하지는 않아.
나의 주장 내 맘대로!

선지자들을 처형했던
선조와는 달리
이단자라고
몰아붙여
희생시키는
일도 없지.
하지만 여전히 어떤 생각과
그 표현을 금지하는 법이
존재하고 있어.
크르르...
그리고 그런 법에 따라
처벌이 가해지는 걸 보면
컹~
언젠가 생각의 자유를
완전히 억압하는 날이
되돌아올지도 몰라.
자유
1857년 영국 콘월 지방의
순회 재판소에서 한 남자가
재판을 받았어.
이 남자는 평소 큰 잘못
없이 살아왔던 사람인데
그리스도를 비방하는 말을 하고 대문에 그런
내용을 썼다는 이유로 징역형을 선고받았지.
이 일이 있은 지 한 달도
못 돼서 영국 중앙재판소인
올드 베일리에서
두 사람이 각각 자신들에게는 신앙이
없다고 솔직하게 고백했다가
우린 무신론자요!
배심원 자격을 박탈당하는 사건이
있었어.
그중 한 사람은
판사와 변호사에게
심한 모욕을
당했지.

한 가지가 더 있어.
이번 사람은 외국인인데.
역시 그리스도교 신앙을 가지고 있지 않다는 이유로
우리는 다른 신을 믿어요.
도둑을 맞고도 고소를 하지 못하게 되었지.
이 사람이 내 물건을 훔쳐 갔소!
외국인에 불신자라… 고소 불가!!
으억!!
말도 안 되는 일이지?
그건 종교적 자유의 문제 아닌가요?
하지만 지금도 이런 일은 일어나고 있어.
이런 일들이 벌어지는 이유는 무엇일까?
신이시여, 이 어린 양의 무지를 깨우쳐 주시옵고….
그것은 신이나 내세의 존재에 대한 믿음을 고백하지 않은 사람은
죽으면 그만이지 뭐.
법정에서 증언할 수 없다는 법규 때문이야.
내세를 믿지 않고 신앙이 없는 사람이 하는 선서는 효력이 없다고 생각한 거지.
왜 효력이 없을까?
거짓말을 할 거라고 생각했겠죠.

이 법규가 의미하는 것은 신앙이 없는 사람들은 재판의 보호를 받을 수 없다는 거야.
법규
만일 범행 현장에 신앙이 없는 사람들만 있다면
그들은 강도를 만나거나 공격을 받아도
그 범죄자를 처벌할 수 없다는 거지.
당신의 선서는 무효요.
이러한 일은 역사의 무지에서 비롯된 거야.
역사를 통틀어 보면 무신론자 즉 신을 믿지 않은 사람들 가운데서도
학식과 덕목이 뛰어나 존경을 받은 사람이 매우 많거든.
게다가 그런 법규는 자기 파괴적이어서
스스로 자신의 기초를 파괴한단다.
무슨 말인가요?
퍽
실제로 신앙이 없는데
믿습니다….
사실은 안 믿지롱~~.
이런 사람의 증언은 어떻게 될까?
분명히 저놈이 돈을 훔쳐 가는 것을 보았소!
신자
이 경우에는 그의 증언이 받아들여지겠지.
당신의 증언을 받아들이겠소.
신자

하지만 양심적인 사람이 무신론자라고 하면
양심을 걸고 저 사람이 돈을 훔치지 않았다는 걸 증명하겠소!
당신은 무신론자라 믿을 수 없어!
당연히 문제가 되겠지?
그것뿐만이 아니야. 이 법과 그것을 뒷받침하는 이론은
이론
무신론자 못지않게 신앙을 가진 사람에게도 모욕을 안겨 준단다.
쾅
내세를 믿지 않는 사람은 거짓말을 하기 마련이라는 논리를 연장해 보면
내세를 믿는 사람들이 거짓말을 하지 않는 이유는 뭐야?
혹시 지옥이 무서워서 그런 게 아닐까? 하하….
이런 모욕적인 논리가 나오게 되지.
이 같은 사례들은 앞으로도 박해를 계속하겠다는 의사 표현은 아니지만
영국인들의 마음속에 자리 잡고 있는 약점을 드러내고 있어.
그것은 지난 한 세대 동안 아주 고약한 법률적 박해는 자취를 감추었을지언정
LAW

영국의 중산층에서는
관용이 부족한 경우 조금 부추기기만 하면
실제로 박해를 가하는 일이 벌어진다는 거야.
사람들은 자기가 소중히 여기는 믿음을 부인하는 자들에게
믿음
마음속 깊이 적대적인 생각과 감정을 가지기 때문이지.
감히 신성한 내 믿음을!
이 적대적인 생각과 감정이야말로
정신적인 자유를 저해하는 요소인 거야.
이것도 예를 들어 주셔야죠.
물론이지.
19세기 영국은 동인도 회사를 통해 인도를 식민지화하고 있었는데
INDIA
당시 동인도 회사는 '세포이'라는 인도인 용병을 고용하고 있었어.
용병은 돈을 받고 근무하는 군인을 말해.
세포이들은 신식 무기인 탄약통 수령을 거부했는데, 이는 탄약통에 소와 돼지 기름이 발라져 있다는 소문 때문이었지*.
안 쓴다니까!
이 사건은 영국 식민 지배에 대한 저항으로 번지게 되었고
와아—
영국군은 물러가라!

*인도인의 종교인 힌두교와 이슬람교는 소를 신성시하고 돼지를 멀리했으므로, 종교적 이유로 탄약통을 거부한 것.

결국 인도 델리 근교의 소도시 메루트에서 반란이 일어나게 돼.
지금은 이 사건을 세포이의 항쟁이라고 불러요.
당시 영국인들의 태도가 어땠는지 한번 볼까?
이건 분명 힌두교 이슬람 녀석들의 짓이야.
그때 복음교회의 지도자들은
성서를 가르치지 않는 학교에는 공적 자금을 지원하지 않겠다고 했어.
한푼도 줄 수 없다!
그 결과로 그리스도교인이 아닌 사람은
이슬람
무신론자
공공 기관에 취직할 수 없게 되었지.
한 국무 차관은 이렇게 말하기도 했어.
관용은 이 나라 종교의 자유를 발전시키는 데 결정적 공헌을 했다.
하지만 이 관용이라는 귀중한 말을 남용하게 해서는 안 된다!
그가 이해한 관용은 그리스도교에게만 적용되는 것이었지.
문제는 국무 차관이라는 정부의 고위 직무를 수행하는 사람이

그리스도의 신성함을 믿지 않는 사람은
관용을 받을 자격이 없다고 공공연히 주장했다는 거야.
관용
이런 어리석은 주장이 버젓이 벌어지고 있는데
누가 종교적 박해는 과거의 일이며 다시 일어날 수 없을 거라는 환상에 빠져들 수 있겠어?
옳소!
과거 오랫동안 사람들이 두려워한 것은
법적 처벌보다도 처벌 뒤에 따르는 '사회적 불명예'였어.
이런 사회적 불명예의 효과는 너무나 커서
영국 사람들은 사회적 금기를 자유롭게 공개적으로 표현하기를 꺼렸지.
법적 처벌을 받을지도 모르는 생각을 털어놓는 것보다 훨씬 더 어려운 일이었지.
보통 사람에게는 여론이 법만큼 강력한 힘을 가지고 있어.
법
여론
여론에 반하는 새로운 의견을 내놓는 것은

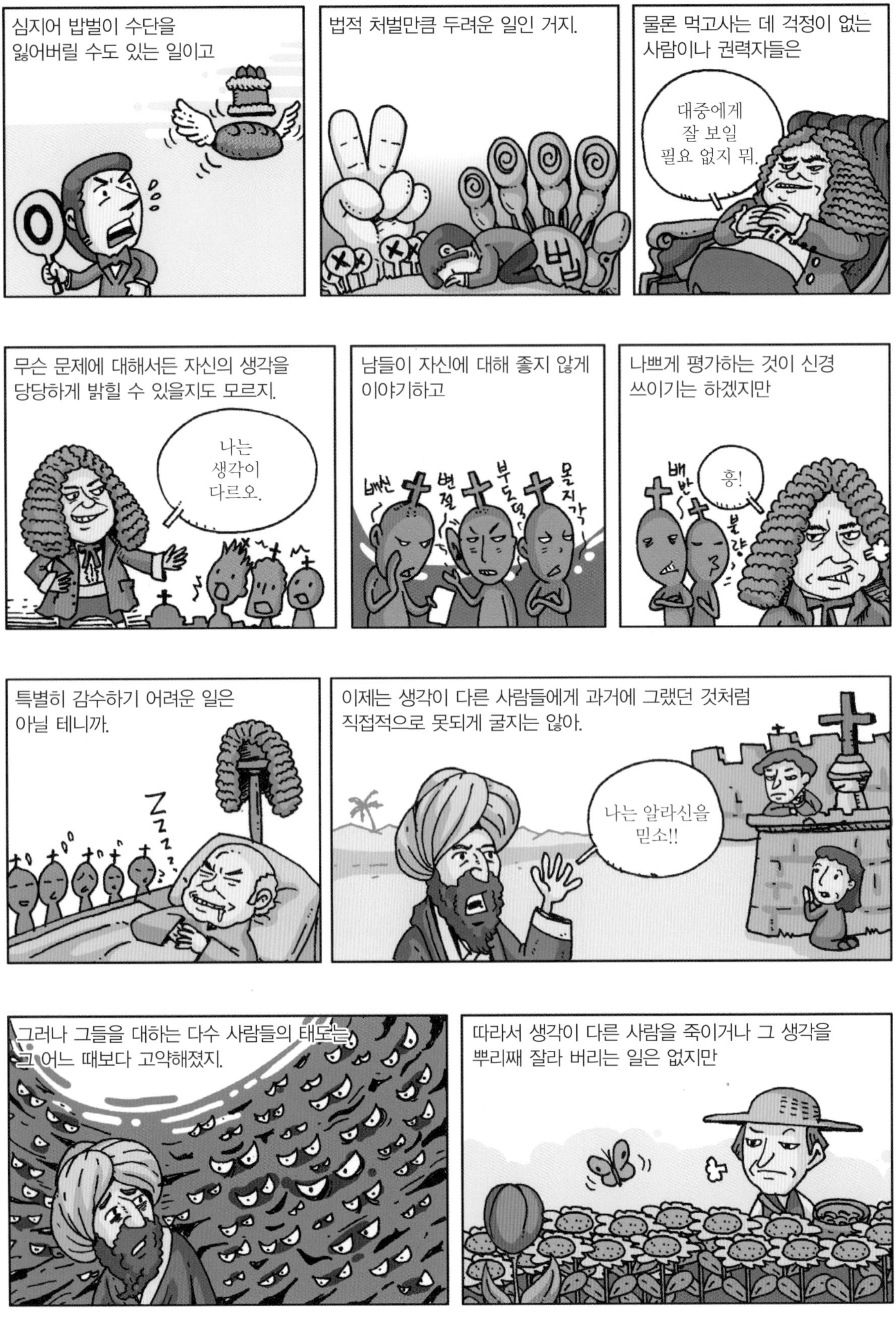

심지어 밥벌이 수단을 잃어버릴 수도 있는 일이고
법적 처벌만큼 두려운 일인 거지.
법
물론 먹고사는 데 걱정이 없는 사람이나 권력자들은
대중에게 잘 보일 필요 없지 뭐.
무슨 문제에 대해서든 자신의 생각을 당당하게 밝힐 수 있을지도 모르지.
나는 생각이 다르오.
남들이 자신에 대해 좋지 않게 이야기하고
배신
변절
부도덕
몰지각
나쁘게 평가하는 것이 신경 쓰이기는 하겠지만
배반
흥!
불량
특별히 감수하기 어려운 일은 아닐 테니까.
이제는 생각이 다른 사람들에게 과거에 그랬던 것처럼 직접적으로 못되게 굴지는 않아.
나는 알라신을 믿소!!
그러나 그들을 대하는 다수 사람들의 태도는 그 어느 때보다 고약해졌지.
따라서 생각이 다른 사람을 죽이거나 그 생각을 뿌리째 잘라 버리는 일은 없지만

사람들은 오히려 다수 여론 앞에서 자기 생각을 있는 그대로 드러내기보다는
다른 모습으로 위장하게 되었단다.
다른 사람에게 자기 생각을 적극적으로 드러내는 것을 꺼리기도 하고 말이야.
그런데 이런 상태를 매우 만족스럽게 여기는 사람들도 있어.
오, 굿~.
어떠한 박해를 가하지 않고도
자신들의 의견을 일방적으로 관철시킬 수 있게 되거든.
의견
이것은 어찌 보면 지성이 대단히 평화로운 상태라고 할 수 있어.
생각이 다르다고 투옥되거나 사형에 처해지는 사람도 없고
누구나 자기 생각을 품을 수 있으며
생각
생각
생각
그 생각을 자유롭게 공표할 권리를 갖는 거니까.
임금님 귀는 당나귀 귀~
이런 상태는 겉으로는 아무 문제가 없어 보여.

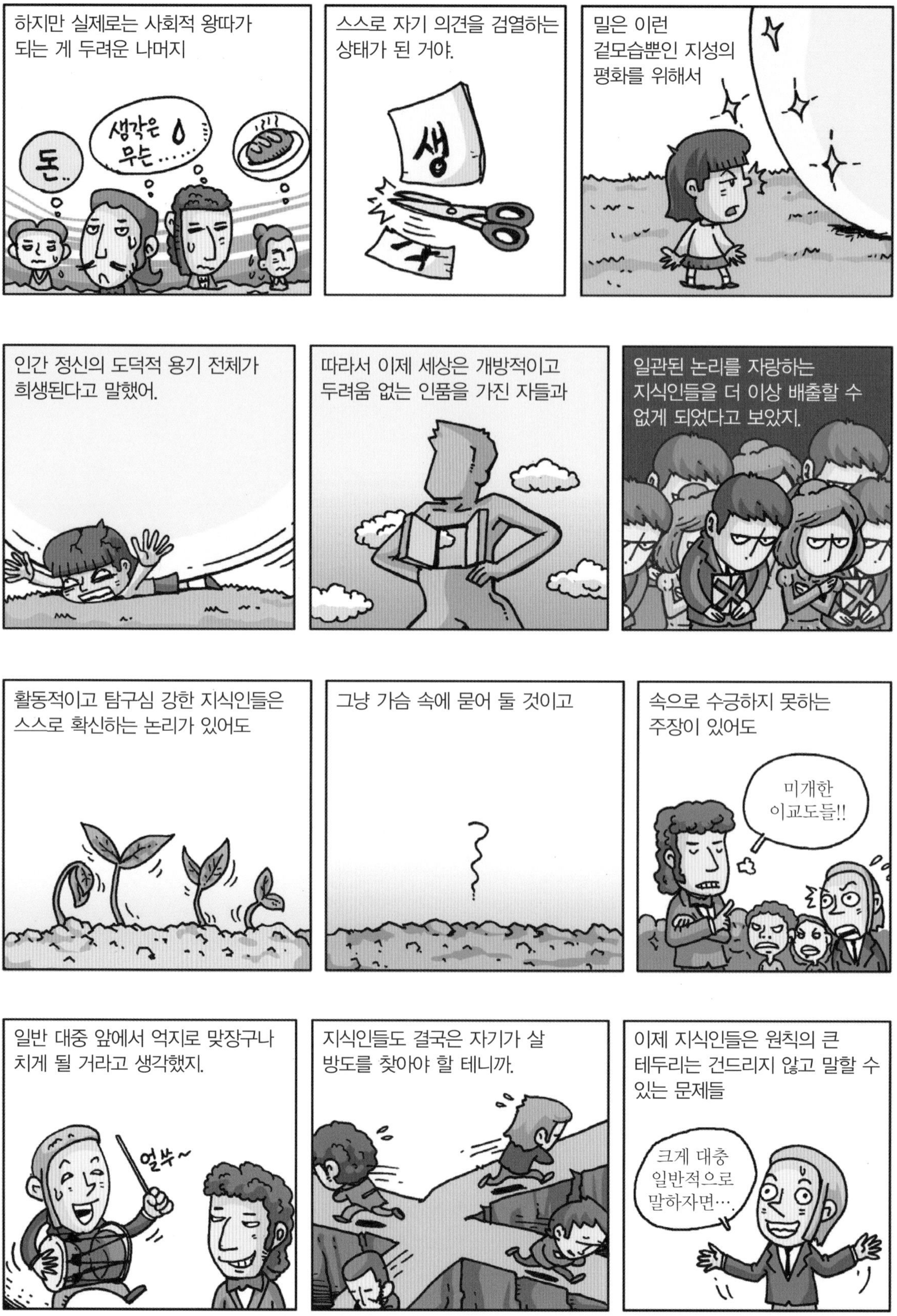
하지만 실제로는 사회적 왕따가 되는 게 두려운 나머지
돈..
생각은 무슨……
스스로 자기 의견을 검열하는 상태가 된 거야.
생
밀은 이런 겉모습뿐인 지성의 평화를 위해서
인간 정신의 도덕적 용기 전체가 희생된다고 말했어.
따라서 이제 세상은 개방적이고 두려움 없는 인품을 가진 자들과
일관된 논리를 자랑하는 지식인들을 더 이상 배출할 수 없게 되었다고 보았지.
활동적이고 탐구심 강한 지식인들은 스스로 확신하는 논리가 있어도
그냥 가슴 속에 묻어 둘 것이고
속으로 수긍하지 못하는 주장이 있어도
미개한 이교도들!!
일반 대중 앞에서 억지로 맞장구나 치게 될 거라고 생각했지.
얼쑤~
지식인들도 결국은 자기가 살 방도를 찾아야 할 테니까.
이제 지식인들은 원칙의 큰 테두리는 건드리지 않고 말할 수 있는 문제들
크게 대충 일반적으로 말하자면…

다시 말해 굳이 복잡하게 생각하지 않아도 되는
라마단*이 끝나고 정원을 손질하는 게….
소소한 문제에 자신의 생각과 관심을 집중하게 될 거라고 밀은 보았어.
그 전에 해야 꽃이 피는 시기가….
이렇게 되면 인간의 정신을 강화하고 확대하는 것

*라마단 – 이슬람교에서 단식과 재계를 하는 달.

즉 가장 중요한 문제들에 대해 자유롭고 거침없이 생각의 날개를 펴는 것을 포기해야 하지.
그래도 이단자들에게만은 이렇게 침묵을 강요하는 것이 그렇게 나쁘지 않다고 생각하는 사람들이 있어.
아니, 여론에 의해 스스로 침묵하는 건데 뭐가 문제입니까?
스스로 자정 능력이 생기는 것이 진정한 민주주의 아닐까요?
그러나 이런 일이 생기다 보면
무엇보다도 이단자들이 제기하는 문제에 대해
토론 합시다!
종교의 자유
공평하고 철저한 토론을 하는 것이 불가능해진단다.
영업 시간 끝났습니다.
또 그런 토론을 가로막고 그것이 확산되는 것을 차단한다고 해서
이단이 사라지는 것도 아니거든.

또한 앞날이 유망한 지성인들이
소심해지지.
비종교적 또는 비도덕적이라는
평가를 받을까 두려워져서
비종교
비도덕
씩씩하게 독립적인 생각의
날개를 펼치지 못하게
되어 버리거든.
그렇게 되면 우리가 사는 이 세상에
어떤 부정적인 결과가 생기게 될까?
일반적으로 받아들여지는 의견과는 다른
결론을 이끌어내는 모든 탐구를 억압할 때
이로 인해 가장 큰 피해를 보는 사람은
누굴까?
당연히
억압받은
이단자들이죠.
아니!
퀴즈
자유론
오히려 이단이 아닌
사람들이 더 큰
피해를 보게 돼.
예?
퀴즈
자유론
자칫 이단으로 몰릴까 봐
두려워한 나머지
정신 발전이 전반적으로 타격을 받고
이성 또한 위축되기 때문이지.

밀은 적어도 사상가라면 자신의 지성이 어떠한 결론에 도달하더라도
부웅
그 지성을 끝까지 추구해 나가야 한다고 주장했어.
하늘 끝까지!
자기만의 고뇌의 과정을 거치지 않고
아… 고뇌하기 귀찮은데….
받아들인 진실된 의견보다는
나 저거 할래!
이것이 진실이다
오히려 적절한 준비와 연구를 하여
또 실패…
스스로 생각한 오류에 의해서 진리는 발전하는 것이라고 보았거든.
실패함으로써 더 발전할 수 있지.
그럼 생각의 자유가 중요한 이유는 뭘까?
고뇌를 통해 진리를 발견하는 위대한 사상가를 탄생시키기 때문일까?
꼭 그것만은 아니야.
더 중요한 것이 있지.
생각의 자유
생각의 자유가 억압되는 상황에서도 위대한 사상가는 늘 있었거든.
백만스물하나..
생각의 자유는 오히려 보통 사람들의 정신적 발달을 위해 중요해.
우리를 위해서?

보통 사람은 자유가 억압되는
분위기 속에서
지적으로 활동적일 수가 없거든.
그런 일은 과거에도 없었고
미래에도 없을 거야.
밀은 큰 원칙에 대해서는 시비를 걸 수 없다는
원칙
암묵적인 합의가 존재하는 사회
그리고 우리 삶에서 가장
중요한 문제들이
종교
윤리
법
도덕
여론의 압력에 의해 토론의 대상이 될 수 없는 사회라면
<토론>
종교의
자유
인간 역사를 그토록 아름답게 빛내 주던
거대한 규모의 정신 활동이 일어날 수
없다고 했단다.
여론이 가하는
통제의 위험은
바로 이런 거겠지.

〈여론 조사 방법〉

여론 조사는 사회 문제나 특정 화제에 대해 사회 구성원이 어떠한 의견이나 태도를 갖고 있는가를 알아내는 통계적 조사예요. 여론 조사는 조사의 목적, 주제, 대상, 조사 기간, 비용 등에 따라 조사 방법을 달리 할 수 있어요. 일반적인 조사 방법에는 대인 면접 조사, 전화 조사, 우편 조사, 인터넷 조사 등이 있습니다.

대인 면접 조사는 응답자를 직접 만나서 조사하는 방법이므로 정확성과 신뢰성이 높은 반면 인력과 경비, 시간이 많이 소요되는 단점이 있어요. 전화 조사는 조사원이 전화를 이용하여 질문하는 것으로 비용이 적게 들고 신속한 조사와 표본 추출이 쉽다는 장점이 있지만, 오차가 크다는 단점이 있습니다. 우편 조사는 설문지를 우편으로 발송한 뒤 이를 응답자로부터 다시 받아 분석하는 방법인데, 설문지의 회수율이 낮고 조사 결과의 신뢰도가 낮은 게 단점이에요. 인터넷 조사는 인터넷 상에서 네티즌들의 투표를 유도하여 분석하는 조사 방법입니다. 대규모의 샘플을 대상으로 조사할 때 유리하나 이용자가 전문직 종사자와 젊은 층으로 한정되어 있어 대표성이 부족하므로 일반 여론 조사로는 적합하지 않은 면이 있어요.

• 여론 조사의 절차

평등한 부부 관계에서 탄생한 《여성의 종속》

1869년에 출판된 《여성의 종속》은 여성에게도 남성과 동등한 권리가 주어져야 한다는 혁신적인 주장을 담은 것으로, 20세기에 본격화된 여성 해방 운동의 이론적 토대를 마련한 고전으로 평가받고 있습니다.

밀이 이 책을 쓰는 데 가장 큰 영향을 미친 사람은 그의 아내 해리엇 테일러였죠. 밀은 이 책의 가장 인상적이고 깊이 있는 부분은 모두 아내의 생각이라고 밝혔습니다. 그러나 밀은 법률 · 정치 · 사회 · 가정 등 모든 관계에서 남녀가 완전히 평등해야만 한다는 신념을 갖고 있습니다. 아내를 알기 전부터 밀의 마음속에 그러한 견해가 있었다는 것이죠. 그리고 밀은 해리엇 테일러가 자신에게 흥미를 가지게 된 큰 원인이 바로 그러한 자신의 신념 덕분이라고 믿었습니다.

밀은 양성 평등이나 여성 해방을 자유를 추구하는 과정으로 이해했는데, 이는 인간이라면 누구나 절대적 자유를 누려야 한다는 자유론의 주장과 연관되어 있습니다. 밀은 《여성의 종속》에서 "만약 민주주의의 원칙이 옳은

밀과 해리엇 테일러의 딸인 헬런 테이.
밀은 이미 두 아이의 어머니였던 해리엇과
오랫동안 사랑하다, 뒤늦게 결혼했다.

것이라고 한다면 우리가 믿는 바대로 실천해야 할 것이다. 백인이 아닌 흑인으로, 귀족이 아닌 평민으로 태어난 것이 그 사람의 위치를 결정해서는 안 되듯이 여자로 태어난 것이 문제가 되어서는 안 될 것이다."라고 주장했습니다. 밀은 남자가 다른 사람들에게 법률상 종속되어야 할 이유가 없다면 여자들도 마찬가지여야 한다고 생각했습니다.

그에 따르면 남성과 여성은 본질적인 능력 면에서 어떤 차이도 없으며, 단지 교육과 환경의 차이가 있을 뿐이라는 것입니다. 또한 여성에 대한 억압은 가족 간의 소통을 방해해 남성의 인격적 성숙을 막고, 사회적으로는 자유로운 경쟁의 기회를 빼앗아 발전을 지연시킨다고 보았습니다. 그는 여성을 억압에서 해방하는 것이 여성 자신만을 위한 것이 아니라 남성에게도 도움이 된다는 것을 강조하였습니다.

밀이 남녀 간의 평등이라는 목표를 위하여 내세운 실천 방법은 선거권과 피선거권, 교육과 직업에서의 기회 평등이었습니다. 그리고 부부 간의 동등한 권리와 동등한 자녀 양육권 등, 결혼한 사람들이 법 앞에서 평등해지는 것이야말로 양쪽에게 모두 정의로운 일이며 또 행복에 기여할 수 있는 유일한 방식이라고 확신하였습니다.

제8장
자유로운 토론의 필요성
주제: 자유토론
자유
MILK

기존의 생각이 틀리지 않고 옳은 것이라고 가정해 보자.
이미 다 옳다고 하는 걸 다시 토론할 일이 있나?
꽃 중의 꽃

이럴 경우라 하더라도 그것에 대해 자유롭고 열린 토론을 하지 않으면 어떻게 될까?
토론 금지
POLICE LINE

비록 자기 생각이 옳다 하더라도
내 생각이 맞는데….

충분히, 자주, 기탄없이 토론을 벌이지 않을 경우
에이 몰라!
꽃 중의 꽃

그것은 살아 있는 진리가 아니라 죽은 독단이 되고 말 거야!

자신이 진리라고 생각하는 것의 근거를 제대로 알지 못해서
이것은 중국에서 가져온 영험한 돌입니다.
소소한 비판에도 전혀 방어를 못하고 그것을 아무 의심 없이 진리라고 받아들이는 사람들이 있어.
중국에서 가져온 게 맞소?
친구에게 산 거니까 틀림없을 거요.
바보~ 넌 속았어
이런 사람들은 권위 있는 사람들이 어떤 생각을 한번 심어 주고 나면
그에 대해 왈가왈부하는 것은 아무런 득이 되지 않고 해가 될 뿐이라고 여겨.
그런데 그들이 고집하는 생각이 의외로 한순간에 꺾이기도 하지.
왜 이런 일이 일어날까?
확신에 바탕을 두지 않은 믿음은
빙글 빙글~
토론이 시작되면 사소한 비판 앞에서도 쉽사리 무너지기 때문이지.
자신이 중요하다고 생각하는 문제에 대해 자기 의견을 갖는 것은 아주 중요해.
이것이 바로 인류의 지성과 판단력 개발에 도움이 되거든.
의견
그럼 지성을 단련시키는 데 가장 중요한 방법은 뭘까?
게임?
틀린그림찾기

밀은 자기가 옳다고 생각하는 것의
근거를 학습하는 것이라고 했어.
아하!
지동설
사람들 각자 무엇을 믿든지 간에
천동설
지동설
적어도 상식적 수준에서
제기되는 비판에 대해서는
그 근거를 열심히 공부해야!
아.. 졸려..
지동설
제대로 반박할 수 있어야
한다고 생각했지.
뭐야...
천동설
지동설
어떤 이들은 이에 대해, 그들이 믿는
바의 근거를 가르쳐 주어야 한다고
주장해.
그리고 어떤 의견이 한 번도 토론에 붙여지지 않았다고 해서
그 의견이 그저 앵무새처럼
반복되는 것이라고 말할 순
없다고 반박하지.
수학에서도 정리를 암기할 뿐만 아니라
내각의 합:
그 증명들도 이해하려고
배우지 않느냐고 반박해.
삼각형 내각의 합의
증명:
맞꼭지각
그들이 수학의 진리가
부정되는 것을 듣지 못했거나
내각의 합이 180도가 아니라는 소리를 누가 해?
반증하려고 시도하지 않았다고 해서
그 반증을 어떻게 하냐고?
낸들 아나..
그들이 무지하다고
할 순 없다는
주장이지.
무식자 취급은 말라고!
물론 수학 같은 분야에서는 그런 식으로 가르쳐 주어도 나쁠 것은 없어.

수학의 진리는 특이한 성질을 지닌 까닭에 모든 주장이 한쪽으로 쏠리지.
내 무게를 못 당하겠지?
그래서 반대가 없고 또 반대에 대답할 필요도 없다고 밀은 보았어.
텅
그러나 불가피하게 생각의 차이가 생기는 분야에서는
진화론
창조
유신론
삼위일체
종교
서로 반대되는 두 의견을 종합적으로 판단한 다음 진리를 찾아야 한단다.
심지어는 자연 과학에서도 동일한 사실에 대해 다른 설명이 제기될 수 있거든.
플로지스톤설
연소설
산소설
지동설 대신 천동설을 주장하는 사람이 있었던 사례를 봐도 알 수 있지.
보시오! 태양이 아침에 떠서 밤까지 하늘에서 움직이지 않소!
밀은 이런 경우 왜 다른 주장이 진리가 될 수 없는지 증명해 보여야 한다고 했어.
행성의 움직임으로 지구가 돈다는 것을 알 수 있다.
그리고 이것이 증명되고 그 증명을 이해할 수 있을 때까지는
지동설
천동설
우리가 옳다고 믿는 것의 근거를 알 수 없다고 했지.
?
이론
게다가 도덕이나 종교, 정치, 사회관계나 삶에 대한 문제 등
도덕
종교
정치

무한히 복잡한 주제를 다룰 때는 상황이 또 달라진다고 보았지.
이 경우는 문제가 되는 주장을 지지하는 논리적 근거의 3/4을
자신과 입장이 다른 의견을 비판하는 데 집중해야 해.
쾅~
고대 로마의 위대한 웅변가 키케로는
Marcus Tullius Cicero (BC 106~BC 43)
자기 문제에 대해 아는 것만큼이나
다른 주장
자신과 입장이 다른 사람들의 주장을 이해하는 데에도 힘을 기울였다는 기록이 있어.
오호라~
어떤 경우엔 자기가 전공한 분야에 대해서만 알고
우리 마을 운동은 미식축구로!
상대편의 것은 잘 모르는 경우가 있어.
족구가 뭐야?
물론 자신의 근거가 상당히 탄탄하면
다른 사람이 쉽게 반박할 수 없을지도 몰라.
FOOTBALL
미식축구의 장점
그러나 마찬가지로 그가 상대방의 주장에 대해 반박하지 못한다면
족구
국민체육 족구
그리고 그가 상대방 주장의 논거가 무엇인지 아는 것이 별로 없다면

그는 어느 쪽 의견도 선호할 근거를 가지고 있지 않은 거라고 볼 수 있어.
?
이때 그가 취할 합리적 입장은 판단을 유보하는 거야.
우리 마을 대표 운동
그렇지 않다면 권위에 이끌리거나 기분 내키는 대로 선택하게 될 테니까.
밀은 이처럼 상대방의 주장을 충분히 알아야 자기 의견을 제대로 가질 수 있다고 봤어.
상대방 나
그쪽 의견도 잘 알지만….
그런데 상대방의 주장을 진심으로 알고자 할 때도
환경보호
주민복지
운동장건립
각별히 주의할 것이 있지.
상대방의 주장을 들을 때 자신과 같은 입장을 가진 사람들의 해석에만
환경 파괴를 하려는 개발업자들이야.
국민복지
의존해서 듣는 것은 효과가 없다는 거야.
개발? 복지?
그러면 진정한 토론이 불가능할 테니까.
상대편이 왜 그런 주장을 하는지 정확히 알 수가 없잖아?
그럼 어떡해야 할까? 바로 반대 논의를 실제로 믿고, 이를 성실하게 옹호하며
왜 운동장을 지으려고 하죠?
주민의 복지와 건강을 위해서입니다.
주민운동장 건립!
그를 위해 온 힘을 기울여 주장을 펴는 사람들의 이야기를 들어 봐야 해.
게다가 많은 체육 대회가 열리면 마을 홍보도 되지요.

그들이 강조하는 내용 가운데 가장 그럴 듯하고
우아!
초현대식 웰빙 운동장
가장 설득력 있는 부분에 대해서 알아야 하는 거야.
주민 복지 향상
문제가 되는 것의 진실을 가려내기 위해
개발
보존
해결하지 않으면 안 되는 어려움이 무엇인지 정확하게 파악할 수 있어야 하지.
주민 소득 향상
주민 복지 증대
주민 건강 고양
그렇지 않으면 원하는 진리는 결코 얻을 수 없어.
다른 사람의 생각에 대해 충분히 연구하고 심각하게 검토하지 않으면
자신이 하는 말에 대해서도 실제로는 잘 모를 수도 있어.
큰소리치긴 했는데….
환경보존을 어떻게 하지?
그래서 서로 모순 관계에 있는 것처럼 보이는 어떤 측면이
내가 옳아!
내가 맞아!
알고 보면 같은 내용을 담고 있을 수도 있고
?!
?!
따라서 팽팽하게 대립되는 두 주장 가운데서
왜 이것은 되고 저것은 안 되는지 판단하기가 어려워지는 경우도 생기는 거야.
환경
환경
개발
개발
환경

그럼 진리를 제대로 아는 방법은 무엇일까?
바로 자유 토론이지.
200분 토론
대립하는 두 주장에 똑같이 귀를 기울이고
각각의 논거를 편견 없이 정확하게 이해하려고 노력해야 해.
편견
밀은 도덕과 인간에 대한 주제를 진정으로 이해하기 위해서는
모든 사람, 심지어 악마의 편에 선 것처럼 보이는 사람까지도
저도 한 말씀…
시민 논객
자유롭게 자기 주장을 펼 수 있게 해 주어야 한다고 했어.
그러나 자유 토론을 못마땅해하는 사람들이 있어.
일반 사람들이 자기 주장을 했을 때
철학자와 신학자들이나 할 만한 찬반양론에 대해 알아야 할 필요가 있나?
별 생각 없는 일반 사람들은 진리의 분명한 근거만 배우고
진리
진리
진리
엑기스

나머지는 권위 있는 전문가들을 믿고 따르면 되는 거야.
나도
나도
나에게 맡겨
스스로 어려운 문제에 대응할 능력이나 지식을 가지고 있지 못하다면
텅~
특별히 훈련받은 전문가들이 잘 대처할 수 있으니 안심하라는 거지.
텅~
설령 이 논리를 그대로 받아들이더라도
흠!
자유토론 비판론 <전문가들>
자유로운 토론의 필요성은 조금도 줄어들지 않아.
어째서!
자유 토론에 반대하는 사람들조차도 특정 문제에서는
제5의 성
휴먼로봇의 교육비
애완동물 상속권
화성인과의 조약
복제인간의 국적
이, 이건…
제기되는 모든 비판에 대해 만족스러운 답변이 있어야 한다고 생각하거든.
답변…
그러나 답변을 요구받는 문제가 자유롭게 거론되지 않으면
꾹
어떻게 답변을 할 수 있지?
난 몰라…
또는 비판을 가하는 사람들이 그 답변에 반박할 기회를 갖지 못한다면
그 의견에 반대를….
시끄러워!!
그것이 만족스러운지 어떤지 어떻게 알 수 있지?

그들의 논리를 따르더라도
일반 시민은 모르지만
철학자나 신학자들은 문제의 핵심에 대해 소상하게
접근할 수 있어야 해.
그러나 그것은 가장 자유로운
상황에서 마음 놓고 벌일 수 있을
때나 가능한 이야기야.
자유로운 상황이 없다면….
토론도 없겠죠.
가톨릭교회는 이 당혹스러운 문제에
대해
도대체 이걸 어떻게 해야….
독특한 방식으로
대처해 왔어.
딱!
적어도 성직자, 그 가운데에서도 특히
믿음이 독실한 사람은
반대편의 주장에 대해 효과적으로
답변할 수 있도록
그 문제에 대해선 이렇게 말할 수 있습니다.
그들의 논점을 자세하게 알
필요가 있었어.
논점
그래서 어떻게 했을까?
이들에게 이단자들이 쓴 금서를
읽는 것을 허용한 거야!
나는 주님의 이름으로 이 책을 읽는 것이다.

그러나 평신도들은 특별한 허락을 받은 경우 외에는
그럴 수가 없었지.
이건 금서야!!
적에 대해 잘 아는 것이
가르치는 입장에 있는 사람에게 유익하다는 사실을 인정하면서도
아… 이건 이렇게….
나머지 사람들에게는 그 문을 닫고 있는 거지.
금지
이것은 결국 일반 사람들에 비해 엘리트들에게는
정신적 자유는 아닐지라도 정신문화를 발전시킬 수 있는 기회를 더 많이 주는 셈이야.
가톨릭 교회는 이런 방법을 통해 목표했던 대로 정신적 우위를 확보했어.
비록 자유가 없는 문화였기 때문에
결코 정신이 관대하거나 자유롭지는 않았지만
현명하고 공정한 판단은 할 수 있었던 거란다.

그런데 기존의 주장이
사실일 경우
사실
자유 토론을 하지 않음으로써
생기는 부작용이
왜 자유 토론을 안 했어?
어차피 사실인걸 뭐.
그저 사람들이 그 주장의 근거에
대해 잘 모르게 되는 것뿐이라면
굳이 근거까지 알아야 해?
지적 측면에서는 어떨지 몰라도
도덕적으로는 큰 해악을 끼치지
않을 수도 있지 않을까?
모르는 게 상팔자지~.
그렇지 않아!
무식하면 용감하지.
밀은 자유 토론이 없다면 단순히
그 주장의 근거만이 아니라
사실
근거
그 자체의 의미에 대해서도
모르게 된다고 보았어.
도대체 여기가 어디야.
생생한 개념과 분명한 확신 대신에
지구가 자전하는 증거는….
그저 기계적으로 외운 몇 구절만
남게 된다고 보았지.
지구는 돈다
지구는 돈다..
지구는 돈다
지구는 돈다
지구는 돈다..
그 의미를 둘러싼 몇몇
껍데기는 남을지 몰라도
정말 중요한 본질은
잃어버리게 된다는 거야.
내 노른자!
핵심
이런 사례는 거의
모든 윤리적 이론과
종교적 신념들이
보여 준단다.
윤리
종교

진리를 마음속 깊이 진심으로
믿게 되면
그것이 그들의 감정을 뚫고 들어가
행동을 완전히 지배하는 힘을
가지게 된단다.
그러나 이 세상 모든 신념을
가르치고 전파하는 선생들은
사람의 마음을 그렇게 다잡는 것이
어렵다고 호소하곤 해.
그런 대단한
경험을 하는 건
힘들지….
어떤 신념이든지 그 존재를
알리기 위해 투쟁하는
초창기에는
그러한 어려움을 느끼지 않아.
비록 세력이 약하더라도
이때는 자신들의 투쟁 목표
그리고
악을 물리치고
세상을 구해야
해.
자기 교리와 다른 교리와의
차이에 대해
머리로 알고 마음으로 느끼거든.
그리고 그러한 신념에 흠뻑
빠진 사람은
믿습니다.

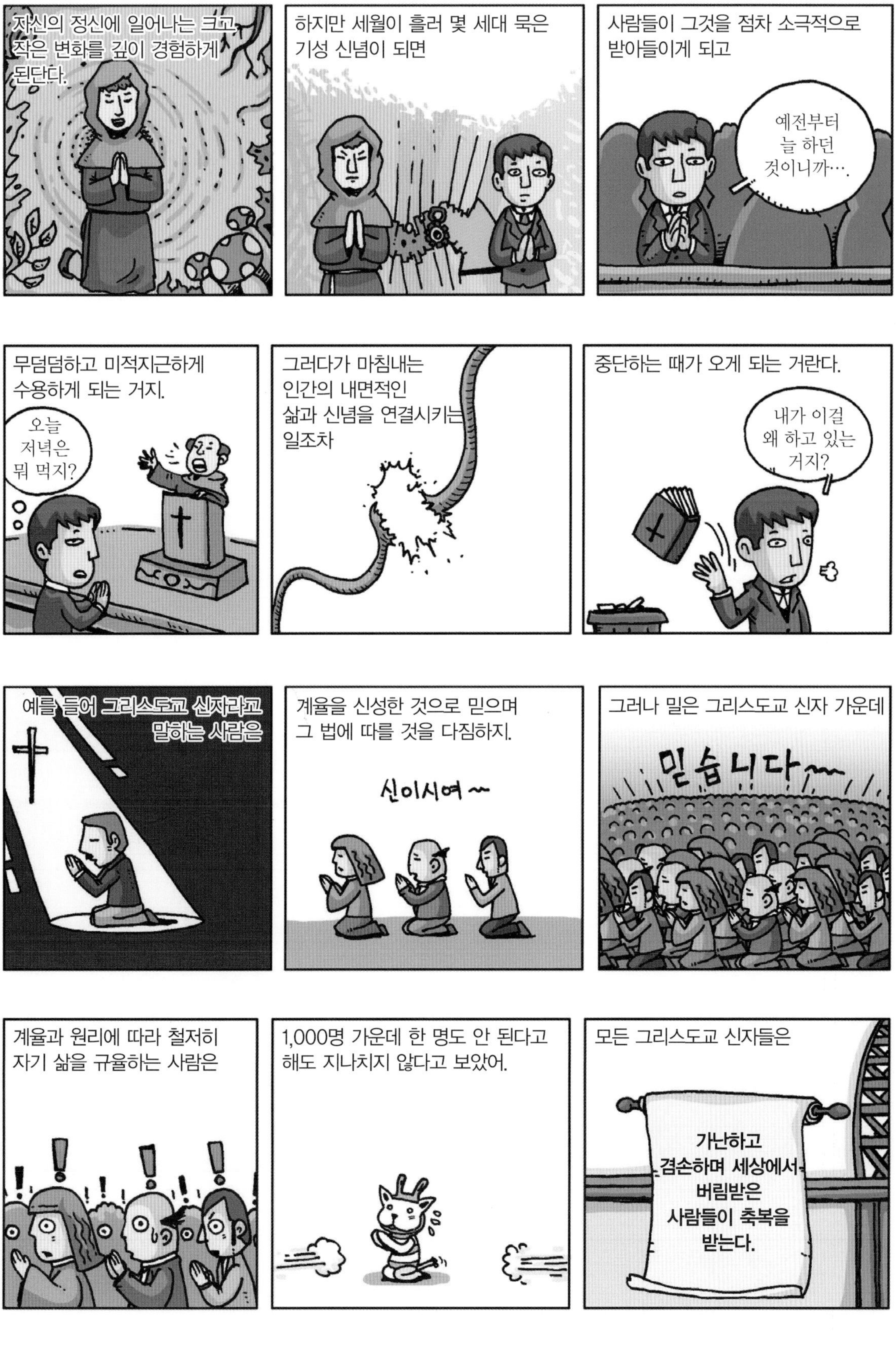
자신의 정신에 일어나는 크고, 작은 변화를 깊이 경험하게 된단다.
하지만 세월이 흘러 몇 세대 묵은 기성 신념이 되면
사람들이 그것을 점차 소극적으로 받아들이게 되고
예전부터 늘 하던 것이니까….
무덤덤하고 미적지근하게 수용하게 되는 거지.
오늘 저녁은 뭐 먹지?
그러다가 마침내는 인간의 내면적인 삶과 신념을 연결시키는 일조차
중단하는 때가 오게 되는 거란다.
내가 이걸 왜 하고 있는 거지?
예를 들어 그리스도교 신자라고 말하는 사람은
계율을 신성한 것으로 믿으며 그 법에 따를 것을 다짐하지.
신이시여~
그러나 많은 그리스도교 신자 가운데
믿습니다~
계율과 원리에 따라 철저히 자기 삶을 규율하는 사람은
1,000명 가운데 한 명도 안 된다고 해도 지나치지 않다고 보았어.
모든 그리스도교 신자들은
가난하고 겸손하며 세상에서 버림받은 사람들이 축복을 받는다.

부자가 천국에 들어가기보다 낙타가 바늘구멍으로 들어가기가 더 쉽다.
이런 계율을 믿어.
자신이 심판을 받지 않으려면 남을 심판하지 말라.
정말 굉장하지?
이웃을 내 몸과 같이 사랑하라.
함부로 맹세를 해서는 안 된다.
완전해지기를 원한다면 가진 모든 것을 팔아서 가난한 사람들에게 주어라.
내일을 염려하지 말라.
이때 그들은 마음에도 없는 거짓말을 하는 게 아니야.
사실 이라니깐!
그들은 자신들의 교리를 믿기도 하지만
오, 주여 믿습니다….
다른 사람들과 보조를 맞추면서 적당히 믿고 적당히 행동하는 거거든.
친하게 지내면 좋잖아요?
살아 있는 믿음이라면 믿는 사람들의 행동을 규율할 수 있어야 해.
술 먹지 마라!
그러나 일반 신자들은 습관적으로 교리를 따르기는 하지만
…믿으니까!
BAR
꿀꺽
VSOP
그 가르침 하나하나에 각별한 의미를 부여하며 마음에서 우러난 감정으로 실천에 옮기지는 않아.
왜 먹지 말라는지는 잘 모르지….

그래서 그 구체적인 문제에
부딪히면
그럼 포도주는 술이 아닌가?
?!?
예수님의 피잖아.
주변 사람들이 얼마만큼 그리스도의
가르침대로
사는지
살펴보고
다른 사람은 어떻지??
눈치…
그들을 따르려고 하지.
아~! 포도주는 주님이 주신 생명의 음료로 생각하면 되겠군!
물론 초기 그리스도교 신자들은
그렇지 않았어.
만일 그들도 그렇게 행동했다면
그리스도교가 로마 제국의 종교가
될 수 없었겠지.
ROME
물론 이건 그리스도교 신자를 비난하려는 건 아니야.
이런 현상이 그리스도교만의
문제는 아니거든.
다만 하나의 예를 든 거지.
도덕이나 종교는 물론이고 인생의
지혜를 담고 있는 것들에서도
똑같이 발견되지.
각종 언어로 씌어진
이 세상의 책들은
인생은 이런 것이다!!
이렇게 살아야 한다!
이것이 옳은 길이다!
인생 교본
철학
이, 이봐…
정작 사람들의 행동에 영향을 주는
살아 있는 신념은 되지 못해.
꽈당!

이런 일이 생기게 된 배경에는 다른 이유도 물론 있어.
세상의 진리 가운데는 경험하지 않으면 그 참뜻을 제대로 알기 어려운 것도 많아.
남극은 춥구나!
덜덜
꼭 경험하고 나서야 깨닫는 게 인간이잖아.
맞으니까 아프구나.
그러나 내용을 잘 아는 사람들이 모여 토론을 벌이고
모르는 사람들도 이것을 잘 들었더라면
그 뜻을 더 잘 알게 되겠지?
그렇게 이해된 것들은 사람들의 마음에 훨씬 더 큰 영향을 줄 거야.
그리고 사람들은 흔히 어떤 사안이 확실하다면 더 이상 생각하지 않으려 하는데
확실
그것이야말로 치명적인 악습이라고 밀은 보았어.
어느 작가는 말하길
쿨~
확정된 결론은 깊은 잠에 빠진다!
확정된 결론은 생생하게 살아 있는 진리가 되지 못한다는 의미겠지.
결론
그렇다면 확실하다고 결정된 사안도 다시 토론을 해야 하는 건가요?
만장일치 된 것도 다시 토론을?
결정

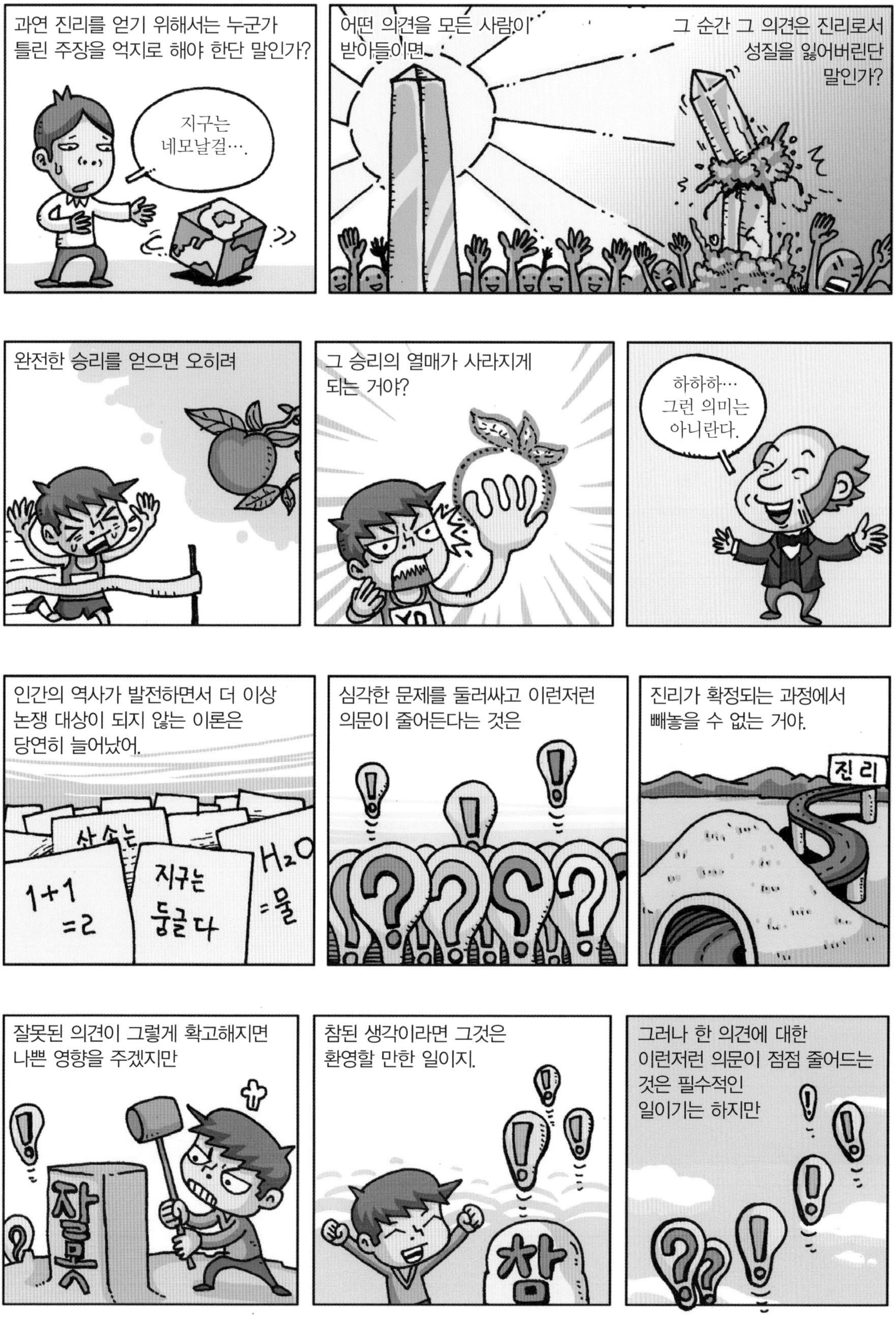
과연 진리를 얻기 위해서는 누군가 틀린 주장을 억지로 해야 한단 말인가?
지구는 네모날걸….
어떤 의견을 모든 사람이 받아들이면
그 순간 그 의견은 진리로서 성질을 잃어버린단 말인가?
완전한 승리를 얻으면 오히려
그 승리의 열매가 사라지게 되는 거야?
하하하… 그런 의미는 아니란다.
인간의 역사가 발전하면서 더 이상 논쟁 대상이 되지 않는 이론은 당연히 늘어났어.
1+1 =2
지구는 둥글다
H_2O =물
심각한 문제를 둘러싸고 이런저런 의문이 줄어든다는 것은
진리가 확정되는 과정에서 빼놓을 수 없는 거야.
진리
잘못된 의견이 그렇게 확고해지면 나쁜 영향을 주겠지만
잘못
참된 생각이라면 그것은 환영할 만한 일이지.
참
그러나 한 의견에 대한 이런저런 의문이 점점 줄어드는 것은 필수적인 일이기는 하지만

그런 현상이 반드시 좋은 결과만을 낳는다고 말할 수는 없어.
우리와 반대되는 의견을 가진 사람들에게 설명하거나 비판하는 과정에서
어떤 진리에 대해 생생하고 깊이 있게 이해하게 되는 법이니까.
그런데 그 진리가 보편적으로 인정받으면서 이런 소중한 기회를 잃게 된다면
정
그로 인해 얻는 것도 있겠지만
진리
잃는 것도 생기겠지.
싸울 상대가 없다….
관객도 없고..
따라서 이제 인류의 위대한 스승들이 그 대안을 찾는 노력을 해 주었으면 해.
사람들의 의식 속에 무엇이 문제이고 왜 그런지에 대한 생각이 가득하도록 노력을 해야 해.
그런데 밀이 살던 당시의 현실은 이런 목적을 성취하는 방안을 찾기는커녕
옛 것이 좋은 것이여~
과거
과거의 소중한 것까지 잃어버리는 상황이었어.
헉!!
펑
밀은 소크라테스의 변증법이 이러한 문제점을 해결할 수 있는 대표적인 예라고 보았어.
변증법

잠깐,
그게 뭐죠?
변증법이란
….
어떤 문제에 대해 본인이
안다고 생각하지만
차이코프
스키의….
호두까기
인형!!
750
실제로는 정확한 의미를 모른다는
사실을
와아아
정답입니다!!
내가 아는 건
여기까지….
질문을 통해 일깨워 주는
방법이야.
공연을
보았나?
아뇨….
허허
나아가 스스로의 무지를 깨달은 뒤
The Nutcracker
Ballet
그 의미를 확실하게 파악한
바탕 위에서
굳건한 믿음을
가질 수 있도록
고안된 최상의
방법이지.
중세 시대의 학교 토론도 이와 비슷한
목적을 가졌어.
당시 토론을 통해
얻고자 한 것은
학생이 자신의 견해와 반대되는
견해를 이해하고 나서
자기 견해의 근거를 확립하는
것이었대.

하지만 당시 영국의
교육 방식은 그렇지
않았어.
흠...
위와 같은 방식들이 제공하는
장점 중 최소한의 것도 제시하지
못했지.
지나치게 주입식 위주의
교육에 치우치면서
대다수 사람들이 찬반양론을
다 들을 자세가 되어 있지
않았어.
찬
반
반
찬
찬
반
심지어 사상가들조차도 양쪽의 견해를 다 알기가
쉽지 않았지.
찬성
반대
반대
찬성
다음에는
적극적인
논쟁에서
중요한
'부정적인 논리'를 살펴보자고.
부정적인 논리쇼
빠빰~~
슉
사람들은 이론상의 약점이나
형편없는
이론이군!!
평생
연구한 건데...
실천상의 과오만 지적하는
부정적 논리를 좋지 않게
보는데
허점투성이!!
밀은 부정적 비판은 긍정적인
지식이나 확신을 획득하는
수단이 될 수 있다고
했어.
확신
다른 사람이 싸움을 걸든지
스스로 그런 싸움을 붙이든지
해 봐야 알 것
아닌가?

적극적으로 논쟁을 벌이는 과정을 거치지 않는다면
그 어떤 주제에 관한 의견도 지식다운 지식이 될 수 없다고 했지.
이런 부정적 비판은 없어서는 안 되지.
만약 부정적 논리가 존재하지 않을 때는 어떻게 하나요?
그것을 만들어 내는 것은 어려운 일이야.
고로 부정적 논리가 있을 때 그것을 무시하는 것은 어리석은 짓이지.
콱
일반적인 통념에 대해 이의를 제기하거나
법이나 여론이 이의 제기를 허용할 때 실제로 그렇게 하는 사람이 있다면
이의 있습니다!
우리는 그에게 고마워해야 한다고 밀은 말했어.
고맙습니다.
천만에요.
그땐 마음의 문을 열고 그 말을 들어야 한다고 했지.
비판 이의
우리가 어떤 믿음에 확신을 가지고 있으며
그 믿음이 생명력을 유지하는 데 조금이라도 관심을 가지고 있다면
아주 엄청난 노력을 기울여서라도 마땅히 부정적 비판을 해야 하는데
이의 제기를 어떻게 하지….
다른 사람이 대신해서 그래 준다니 얼마나 고마운 일이냐고 밀은 말했지.
이의 있습니다!
옳거니!!

대화의 달인 소크라테스

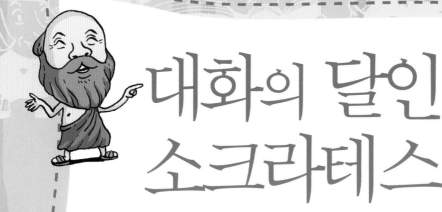

변증법이라는 말은 오랜 역사를 가지고 있죠. 시대나 사람에 따라 여러 가지 의미로 사용하고 있으므로 그 의미를 한마디로 정의하는 것은 쉽지 않습니다. 영어의 변증법(dialectic)이란 단어는 대화술, 문답법이라는 의미의 그리스어 dialektike에서 유래하였습니다.

변증법의 기원은 아리스토텔레스가 변증법의 창시자라고 부른 제논의 변증법으로, 이는 상대편 주장의 모순을 밝힘으로써 자기 입장의 올바름을 증명하려고 하는 것이었습니다. 그러나 훗날 소피스트들에게 변증법은 단지 논쟁에서 이기기 위한 도구가 되어 버렸죠. 그러나 소크라테스의 변증법은 논쟁에서 이기기 위한 도구가 아니라 타인과의 대화를 통해서 참된 지혜를 얻고자 하는 문자 그대로의 문답법이었습니다.

소크라테스는 일상적인 통념과 개인적인 의견들은 반드시 참된 지식으로 인정받기 위해 검토와 확인의 절차를 거쳐야 한다고 보았습니다. 그러기 위해서는 모든 의견과 생각들이 의심과 부정의 단계를 거칠 수밖에 없다고 생각했습니다.

따라서 소크라테스는 나이와 신분의 높고 낮음에 상관없이 모든 사람과 대화를

나누었으며, 특히 아테네의 젊은 청년들과 즐겨 대화를 나누었습니다. 소크라테스는 어떤 내용이든 주제에 구애받지 않고 대화했으나 주로 도덕과 윤리적인 문제가 중심 주제였죠. 즉 선과 용기와 정의는 무엇이며 덕스럽고 행복한 삶은 어떤 것인지를 두고 대화를 펼쳤는데, 이는 소크라테스의 궁극적인 관심이 인간은 어떻게 하면 선하고 덕스러운 삶을 살 수 있으며 지혜롭고 가치 있는 삶을 누릴 수 있는가에 있었기 때문입니다.

아테네의 청년들을 현혹시키고 독재에 반론을 제기했다는 죄명으로 독배를 마시는 소크라테스.
– 〈독배를 드는 소크라테스〉, 다비드(1787년), 뉴욕, 메트로폴리탄 미술관.

소크라테스는 일상생활 속에 나타나는 평범한 문제에서 시작하여 가능한 한 많은 질문을 던지며 대화를 이어갔습니다. 그 과정에서 이 문답의 대가는 상대방의 오류를 하나하나 지적해 내 스스로 그 오류를 인정하게 만들었으며, 그런 과정을 거치면서 상대방이 자신의 생각과 주장이 옳지 않았다는 것과 자신의 답변이 불충분했다는 것을 깨닫도록 대화를 이끌었습니다.

소크라테스는 모든 아테네 시민들이 선하고 덕스럽고 가치 있는 삶을 살기를 원했습니다. 그런데 이러한 삶을 살기 위해서는 먼저 선이 무엇이고 덕이 무엇이며 가치 있는 삶이 어떠한 것인가를 분명하게 알아야만 한다고 보았습니다. 왜냐하면 어떠한 사람도 일부러 악을 행하지는 않으며, 악의 근본적인 원인은 무지에 있다고 보았기 때문이에요. 따라서 도덕적인 삶을 살기 위해서는 진리를 아는 것이 중요하다고 보았습니다. 소크라테스 변증법의 궁극적인 목적은 대화를 통해 진리가 무엇인지를 아테네 시민들에게 알려 주기 위함이 아니라 진리에 따르는 그들의 실천을 유도하기 위함이었습니다.

제9장 표현의 자유

당수육
자장
자장
자장
자장
자장
돈없어...
다양한 의견들이 우리에게 주는 이득은 무엇일까?
맛있냐
여러 시각에서 볼 수 있게 해 주죠.
생각도 많이 할 수 있게 하고요.
맞아. 다양한 의견들을 바탕으로 진리와 오류 사이에 논쟁을 벌이는 것은
진리를 좀 더 분명히 이해하게 하고 깊이 깨닫게 해.
지금까지 두 가지 가능성을 검토해 왔어.
기존 통설 거짓
기존 통설 진리

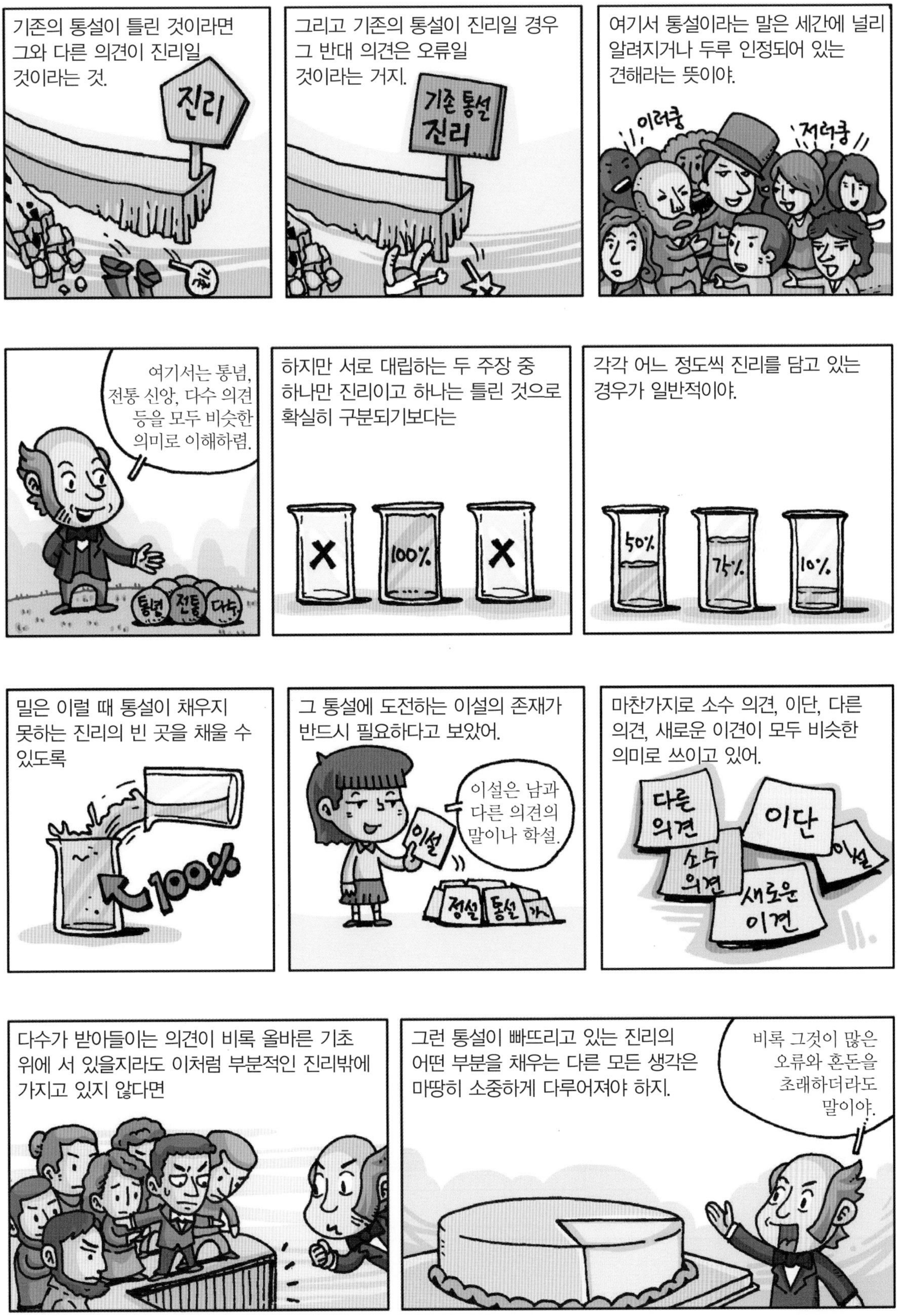
기존의 통설이 틀린 것이라면 그와 다른 의견이 진리일 것이라는 것.
진리
그리고 기존의 통설이 진리일 경우 그 반대 의견은 오류일 것이라는 거지.
기존 통설 진리
여기서 통설이라는 말은 세간에 널리 알려지거나 두루 인정되어 있는 견해라는 뜻이야.
이러쿵
저러쿵
여기서는 통념, 전통 신앙, 다수 의견 등을 모두 비슷한 의미로 이해하렴.
통념
전통
다수
하지만 서로 대립하는 두 주장 중 하나만 진리이고 하나는 틀린 것으로 확실히 구분되기보다는
100%
각각 어느 정도씩 진리를 담고 있는 경우가 일반적이야.
50%
7%
10%
밀은 이럴 때 통설이 채우지 못하는 진리의 빈 곳을 채울 수 있도록
100%
그 통설에 도전하는 이설의 존재가 반드시 필요하다고 보았어.
이설은 남과 다른 의견의 말이나 학설.
이설
정설
통설
마찬가지로 소수 의견, 이단, 다른 의견, 새로운 이견이 모두 비슷한 의미로 쓰이고 있어.
다른 의견
이단
소수 의견
이설
새로운 이견
다수가 받아들이는 의견이 비록 올바른 기초 위에 서 있을지라도 이처럼 부분적인 진리밖에 가지고 있지 않다면
그런 통설이 빠뜨리고 있는 진리의 어떤 부분을 채우는 다른 모든 생각은 마땅히 소중하게 다루어져야 하지.
비록 그것이 많은 오류와 혼돈을 초래하더라도 말이야.

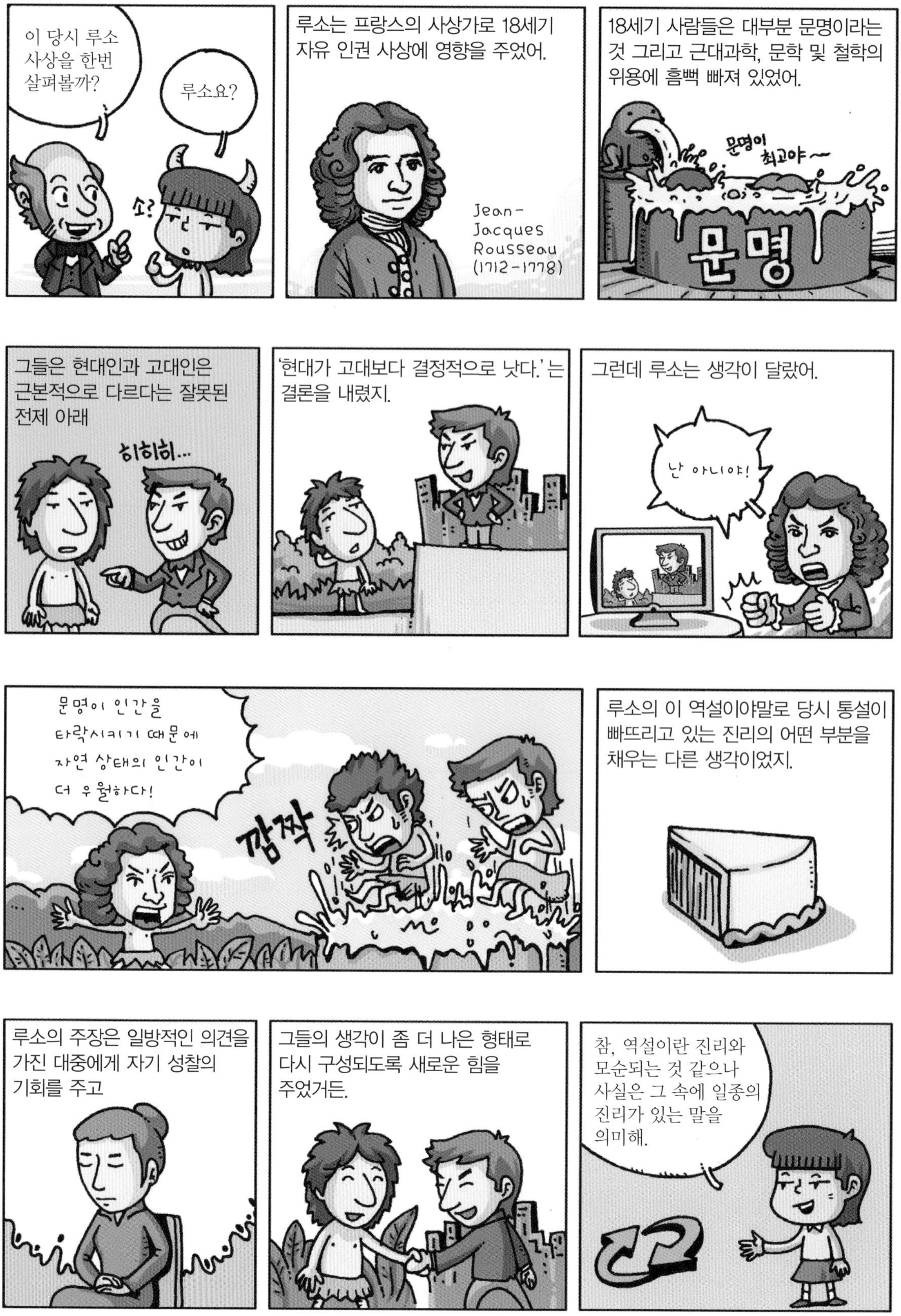
이 당시 루소 사상을 한번 살펴볼까?
루소요?
소?
루소는 프랑스의 사상가로 18세기 자유 인권 사상에 영향을 주었어.
Jean-Jacques Rousseau (1712-1778)
18세기 사람들은 대부분 문명이라는 것 그리고 근대과학, 문학 및 철학의 위용에 흠뻑 빠져 있었어.
문명이 최고야~
문명
그들은 현대인과 고대인은 근본적으로 다르다는 잘못된 전제 아래
히히히...
'현대가 고대보다 결정적으로 낫다.'는 결론을 내렸지.
그런데 루소는 생각이 달랐어.
난 아니야!
문명이 인간을 타락시키기 때문에 자연 상태의 인간이 더 우월하다!
깜짝
루소의 이 역설이야말로 당시 통설이 빠뜨리고 있는 진리의 어떤 부분을 채우는 다른 생각이었지.
루소의 주장은 일방적인 의견을 가진 대중에게 자기 성찰의 기회를 주고
그들의 생각이 좀 더 나은 형태로 다시 구성되도록 새로운 힘을 주었거든.
참, 역설이란 진리와 모순되는 것 같으나 사실은 그 속에 일종의 진리가 있는 말을 의미해.

그렇다고 이 당시 견해들이 전반적으로 루소의 견해에 비해 진리로부터 더 멀어져 있다는 뜻은 아니야.
오히려 더 가깝다고 할 수 있지.
진리
그러나 루소의 이론에는 당시 다수 의견이 빠뜨리고 있는 상당한 양의 진리가 들어 있어.
진리 g
따라서 루소의 지적을 놓친다면 우리는 많은 것을 잃게 되지.
루소 이래로 의식이 깨어 있는 사람들은
단순하고 소박한 삶이 어떤 귀한 가치를 지니는지
그리고 인위적인 삶이 강요하는 속박과 위선이 얼마나 심각하게
우리의 도덕을 해치고 활력을 빼앗는지 경각심을 높이려 애쓰고 있단다.
이걸 정치에 대입해 볼까?
정치는 자신이 없는데…
정치
정치에서도 질서 또는 안정을 추구하는 정당과 진보 또는 개혁을 주장하는 정당이 공존하는 것이
건전한 정치적 삶을 위해 중요하다는 생각이 거의 상식이 되다시피 하고 있지.
미국의 공화당-민주당 같은 것처럼요?
민주당
공화당
밀은 이런 두 가지 상반된 인식들이 있어야 하는 이유는
100

각자에겐 서로 한계가 있기 때문이라고 했어.
상대편이 존재해야 양쪽 모두 건강한 정신 상태를 유지할 수 있다고 주장했지.
예를 들면 민주주의와 귀족 정치.
재산과 평등.
협력과 경쟁.
사치와 절제.
사회성과 개별성.
자유와 규율.
그리고 일상적인 삶에서 부딪치는 모든 상반된 주장들이
그 어떤 의견이든 자유롭게 표출될 수 있고 똑같은 비중으로 가치를 인정받지 못한다면
각 주장에 담긴 내용들이 빛을 발할 기회를 얻지 못하게 되는 거지.
그러므로 밀은 진리를 찾기 위해서는
眞
서로 대립하는 것들을 화해시키고 결합시켜야 한다고 주장했단다.
적대적인 깃발 아래 모인 양쪽이 서로 치고받는 과정을 거쳐야 진리에 이를 수 있다고 보았던 거지.

그러나 어지간히 넓고 공정한 마음의 소유자가 아니라면
내 마음은 바다요~
이런 일에 올바른 결론을 끌어내기가 매우 어려워.
뭐가 진실인지?
나야
나라고!
밀은 어떤 문제든 세상 모든 사람의 통념과 어긋난 주장을 펴는 사람이 있다면
종교를 하나로~
아무리 세상 사람들의 생각이 옳다 하더라도
정신 차려!
그런 이설에는 분명 무언가 들어 볼 만한 내용이 있음을 잊어서는 안 된다고 했어.
하긴 일리가 있지….
그 입을 막아 버리면 중요한 진리를 잃어버릴 가능성이 대단히 크다고 보았거든.
뭐라고 하는 거야?
으읍읍 읍읍 읍읍 읍
그렇다면 우리도 주변을 둘러보고
세상의 통념과 어긋나는 주장을 펴는 사람이 있다면
치약으로 머릴 감아요~
귀를 기울여 봐야겠지?
윤기가 자르르~
정말?
그러나 이런 반론이 있을 수 있지.
통설 가운데 가장 중요한 주제에 관한 것들은 절반 이상의 진리를 담고 있다.
예를 들어 그리스도교 윤리 같은 것은 전적으로 옳다.

그렇기 때문에 그것과 어긋나게 가르치는 사람은
싱송 팡송~
누구든 결정적인 실수를 범하는 셈이 되는 것이다.
싱송..
그런가요?
글쎄?
밀은 그리스도교 윤리라는 것은 신약 성서의 도덕을 의미한다고 가정했어.
New Testament
그런데 이것이 도덕에 관한 하나의 완전한 교리로서 말해졌고 또 그렇게 의도되었는지는
시인지 소설인지 …
확실하지 않다는 거야.
역사인지 윤리인지 도덕인지…?
신약
구약
게다가 복음서의 윤리는 너무 일반적인 말들로 표현되어 있어서
누가 네 오른쪽 뺨을 치거든, 왼쪽 뺨마저 돌려대어라
너희의 원수를 사랑하고
신약
종종 문자 그대로 해석하는 것이 어려울 때가 많지.
150km/h
왼쪽 빰도??
그리고 시적이고 가슴을 울리는 감동을 주기는 하지만
「네 이웃을 네 몸과 같이 사랑하여라」
신약
법률적 정확성 같은 것과는 거리가 멀기도 해.
어떻게 사랑하라는 거지…?
신약
또한 구약 성서의 부족한 부분을 보완하지 않았다면
신약
구약
신약 성서에서 윤리적 교리를 이끌어 내는 것도 불가능했을 거야.

왜냐하면 사도 바울이 교인들에게 한 충고에는
노예 제도의 정당성을 명백하게 인정할 만큼
기존의 그리스, 로마의 도덕률이 바탕에 짙게 깔려 있거든.
그렇게 보면 그리스도교 윤리의 기본 지향은 긍정적이라기보다 부정적이며
적극적이지 못하고 소극적이라고 볼 수 있어.
고귀함보다는 결백함을 더 중요하게 여기고
선을 활기차게 추구하기보다는 악을 억제하는 데 초점을 맞추고 있지.
또한 계율에는 '어떤 일을 하라.' 보다 '어떤 일을 해서는 안 된다.' 라는 말이 압도적으로 많아.
그리스도교 윤리는 여전히 천국에 대한 소망과 지옥에 대한 두려움을 제시하여
덕 있는 삶을 살도록 하고 있어.
천국 가야지….
그렇다고 이런 결점이 그리스도교 윤리의 전부라고 말하는 것은 아니야.

내가 강조하는 바는 그리스도교의 불완전함이 아니야.
다만 예수의 가르침은 진리의 일부를 담고 있을 뿐이며 원래도 그렇게 의도되었다는 거지.
나는 사랑을 주러 왔노라.
그러므로 그리스도교 교리 속에서 우리 삶의 완전한 규칙을 찾겠다고 고집하는 것은
성경은 진리다!
큰 잘못이야.
믿으시오!!
그리스도교 교리 속에서 완전무결한 규칙을 찾으려는 것은 편협한 태도야.
밀은 그러한 생각이 오늘날 좋은 의도를 가진 수많은 사람들이 애써 후원하는 도덕 교육과 훈련을
슥-
혼란에 빠뜨리며 심각한 문제를 일으킨다고 보았어.
꽝
밀은 그리스도교에 바탕을 둔 윤리와는 전적으로 다른 윤리 체계도
大學
인류의 도덕적 쇄신을 위해서는 그리스도교와 나란히 공존해야 한다고 말해.
그리고 인간 정신이 불완전한 상태에 있는 한

그리스도교도 다양한 의견을 허용해서 진리를 찾아야 한다고 했지.
그리스도교 속에 포함되지 않은 도덕적 진리를 인정한다고 해서
반드시 그리스도교 속에 담긴 진리를 포기하는 것은 아니라는 거야.
다양한 의견을 허용하는 것은 그 무엇과도 바꿀 수 없이 소중한 어떤 것을 얻기 위해
지불하지 않으면 안 되는 비용인 셈이야.
조그마한 부분을 얻은 것에 지나지 않으면서도
마치 진리 전체를 얻은 것처럼 행세하는 것은
반드시 비판을 받아야 하지.
만일 그리스도교 신자들이 이교도들에게
그리스도교에 편견을 가지지 않도록 가르치고 싶다면
안 사요~
자신들이 먼저 이교도에 대한 편견을 버려야 해.
어때요?
최고!

학문의 역사에 대해 최소한의 지식을 가진 사람이라면
에헴~.
박사 연두
가장 고귀하고 중요한 도덕률의 상당 부분이
도덕
그리스도교 신앙에 대해 모르거나 배척한 사람들의 작품이기도 하다는 사실을 잘 알고 있을 거야.
그리스도교
기타
따라서 이 엄연한 사실을 일부러 모른 체한다는 것은
몰라 몰라 난 몰라~.
진리를 찾는 사람으로서 할 일이 아니지.
밀은 자유 토론을 허용하더라도 사람의 생각이 한쪽으로 치우치는 것을 막을 순 없다고 보았어.
오히려 그런 경향을 증폭시키고 악화시킬 수도 있다고 보았지.
반대
진리가 드러나기보다는 오히려 반대파가 주장하는 것이라는 이유로
저놈들이랑 무조건 반대로!
꺼져.
더 격렬하게 배척되는 경우가 많기 때문이야.
그러나 이런 의견 대립에서 유익한 효과를 얻는 사람은
정열적으로 자기 주장을 하는 사람이 아니라
상대적으로 조용하고 욕심이 없는 방관자들이란다.
잘 듣고 비교해 보자.

문제는 부분적인 진리들이 격렬하게 대립하는 경우가 아니라
반쪽 진리가 나머지를 은밀하게 탄압할 때 발생해.
사람들이 억지로라도 양쪽 의견을 모두 듣게 되면
언제나 희망은 있다는 거지.
그렇지 않고 오직 한쪽만 듣게 되면
오류가 편견으로 굳어지고 반대편에 의해 거짓으로 과장되면서
진리 자체가 진리로서 역할을 할 수 없게 되고 말아.
훽~
진리
밀은 다른 의견을 가질 자유와 그것을 표현할 자유는
강제
주장
토론
의견
역설
반대
조화
인간의 정신적 복리를 위해 매우 중요하다고 강조했단다.
그 이유는 네 가지로 나눌 수 있어.
첫째, 침묵을 강요당하는 모든 의견은 그것이 어떤 의견인지 우리가 확실히 알 수 없다고 해도
말 좀 해 봐…
그것이 진리일 가능성이 있다는 거야.
진리
따라서 이를 부인하면 우리 자신이 절대적으로 옳음을 가정하는 셈이 된다고 했지.
100 %
순금

둘째, 침묵을 강요당하는 의견이 틀린 것이라 하더라도
그것이 일정 부분 진리를 담고 있을지도 모른다는 거야.
실제로 그런 일은 아주 흔해.
어떤 문제에 관한 것이든 통설이나 다수의 의견이 전적으로 옳은 경우는 드물거나 아예 없거든.
따라서 대립하는 의견들을 서로 부딪치게 하는 것만이
나머지 진리를 찾을 수 있는 유일한 방법이란다.
찾았다!
셋째, 통설이 진리일 뿐만 아니라 전적으로 옳은 것이라 하더라도
100% 순금
이것은 절대 순금이다!
어렵고 진지하게 시험을 받지 않으면
순도 테스트를….
믿어라!!
그것을 받아들이는 사람들 대부분은 그 진리의 합리적 근거를 이해하지도 못한 채
순금이래
순금
순금
그저 하나의 편견 같은 것으로만 간직하게 될 거라는 거지.
거짓말 마!
순금이래
넷째, 역시 통설이 진리라 하더라도 그 주장의 의미 자체가 실종되거나 퇴색하면서
사람들의 성격과 행동에 큰 영향을 미치지 못하게 될 거라는 거야.
감동적인 거 없나….
경배하라!!

이때는 선을 위해서는 아무런 영향도 미치지 못한 채
선
이성이나 개인적 경험에서 그 어떤 강력하고 진심 어린 확신이 자라나는 것을 방해하고 가로막으면서
하나의 헛된 독단적 구호로 전락하게 된다고 보았지.
!
우리가 좀 더 살펴볼 주장이 있어. 바로 이거지.
절제된 양식 아래 공정한 토론의 틀을 벗어나지 않는 상태에서만 의견의 자유로운 표현이 허용되어야 한다.
다 맞는 말 같은데… 왜요?
다 맞는 말이긴 한데 이런 틀을 정확하게 설정하는 것은 어렵지.
만일 비판받는 사람이 설득력 있고 강력한 비판을 받게 되면 그 사람은 공격을 당한다고 느낄 거야.
감히 날 공격해?
그래서 상대방이 강하게 몰아붙이면서 조금이라도 감정 섞인 언사를 하면
곧 자제심을 잃고 비난을 퍼붓는다고 생각하기 쉬워.
너무하는 거 아냐?
이것은 실제 상황에 비추어 볼 때 아주 중요한 문제야.
그러나 더욱 근본적인 것을 잊어서는 안 되지.

그런 공격 가운데 가장 심한 것은
문제의 본질을 거짓 진술하기 위해 또는 반대 의견을 엉터리로 전달하기 위해 사실이나 주장을 호도하는 거야.
흔히 자제심을 잃은 토론이라고 할 때 독설, 빈정댐, 인신공격 등을 꼽는데
펑펑-
논쟁의 당사자 모두에게 이런 것을 금지시킨다면
공감하는 사람이 늘어나겠지?
건전한 토론을 위해선 꼭 그래야 하겠죠.
하지만 실제로는 그렇지 않아.
실제로는 논쟁의 당사자 모두에게 이런 것을 금지시키는 일이
소수 의견을 가진 사람이 통설에 대해 무차별 공격을 하지 못하게 가로막는 결과가 되어 버리거든.
반대로 소수 의견을 가진 사람에 대해서는 아무런 제약도 받지 않은 채 거침없이 공격을 퍼부을 수 있게 되어 버려.
빡
와와-
심지어는 그런 식의 공격을 가하는 다수 의견을 가진 사람에게 뜨거운 양심이니 정의의 분노니 하는 따위의 찬사를 보내기까지 하지.
와—

이런 싸움은 언제나 통설에 일반적으로 힘을 실어 주는 방향으로 결말이 나지.
통설
한편 반대 의견을 가진 사람은 사악하고 비도덕적인 인물로 공격을 받게 되는데
이것이야말로 최악의 결과로 볼 수 있어.
누구든지 다수의 의견에 어긋나는 생각을 가진 사람은
이런 비방과 중상에 노출되기 십상이야.
왜냐하면 그들은 일반적으로 소수인 데다 영향력도 작고
그들이 당하는 옳지 못한 일에 대해
당사자 외에는 관심을 가져 줄 사람이 없기 때문이지.
그리고 진짜 문제는
통설을 공격하는 사람은 애당초 이런 거침없는 공격을 할 수 없다는 데 있어.
후후
저걸 어떻게...
밀은 설령 공격을 할 수 있다 하더라도
자신들의 명분에 해가 될 뿐이라고 보았어.
뭐, 뭐야?
비열하게...
우!!

일반적으로 볼 때 다수가 받아들이는 생각과 다른 소수 의견은
다수
소수
부자연스러울 정도로 표현을 순화하고
본인의 주장은 오히려 사회와 개인에 도움을 주고자….
상대방에게 불필요한 자극을 주지 않도록 극도로 세심한 주의를 기울이지 않는 한
물론 전혀 피해를 주지 않지요….
그 입장을 밝힐 기회를 얻기가 어려워.
좋은 의견이야.
이에 반해 통설을 따르는 사람은 온갖 언어폭력을 다 동원해서 반대쪽 의견을 피력하지도, 듣지도 못하게 하지.
듣지 마쇼!
당신 말은 전부 엉터리야!
그러므로 진리와 정의를 위해
이러한 언어폭력을 막는 것이 무엇보다도 중요해.
둘 가운데 하나를 선택해야 한다면
통설보다도 이설에 대한 공격을 차단하는 것이 훨씬 더 시급해.
독설이나 빈정댐, 인신공격 등의 자제심을 잃은 공격을 하지 않아야 되는 쪽은
독설
빈정댐
인신 공격
다수 의견을 가진 사람들이라는 거지.
금지
소수 의견을 가진 사람들은 아예 그 의견을 내놓기도 어려우니까 말이야.
너부터 잘하세요!

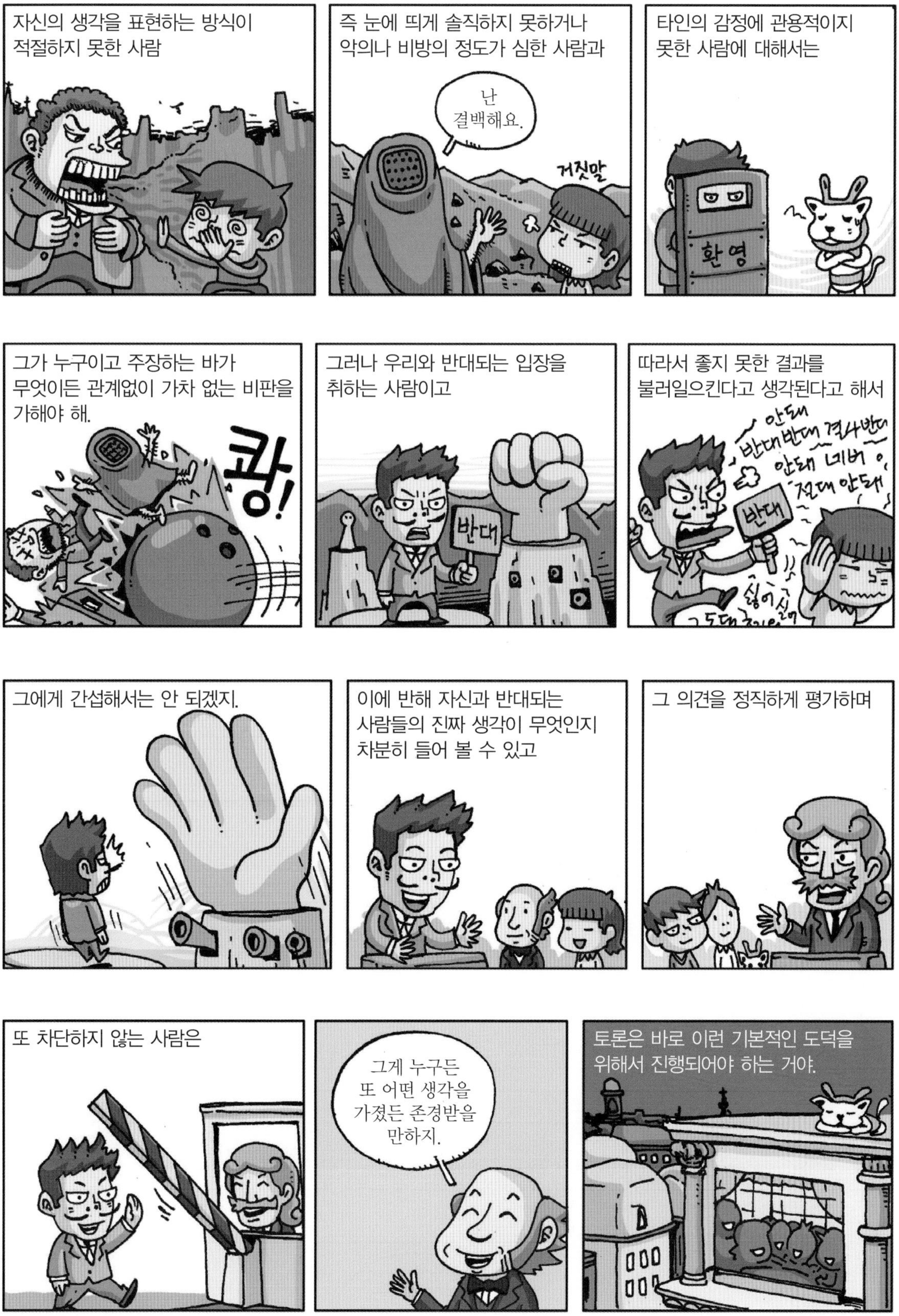
자신의 생각을 표현하는 방식이
적절하지 못한 사람
즉 눈에 띄게 솔직하지 못하거나
악의나 비방의 정도가 심한 사람과
난
결백해요.
거짓말
타인의 감정에 관용적이지
못한 사람에 대해서는
환영
그가 누구이고 주장하는 바가
무엇이든 관계없이 가차 없는 비판을
가해야 해.
쾅!
그러나 우리와 반대되는 입장을
취하는 사람이고
반대
따라서 좋지 못한 결과를
불러일으킨다고 생각된다고 해서
안돼
반대반대 결사반대
안돼 네버
절대 안돼
반대
싫어 싫어
그에게 간섭해서는 안 되겠지.
이에 반해 자신과 반대되는
사람들의 진짜 생각이 무엇인지
차분히 들어 볼 수 있고
그 의견을 정직하게 평가하며
또 차단하지 않는 사람은
그게 누구든
또 어떤 생각을
가졌든 존경받을
만하지.
토론은 바로 이런 기본적인 도덕을
위해서 진행되어야 하는 거야.

무시당한 악법, 금주법 시대

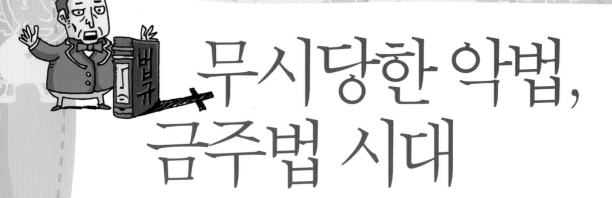

금주법은 주류의 양조 · 판매 · 운반 · 수출입을 하지 못하게 하는 것을 주요 내용으로 하는 것으로, 법적인 조치를 통해 부분적 또는 전체적인 금주를 달성하려는 목적으로 만들어졌습니다.

미국에서 최초의 금주법은 1846년 메인 주에서 통과되었고 이는 남북 전쟁 전까지 여러 주에서 금주법 제정을 부채질했습니다. 그러다 1919년 1월 16일 미국 의회에서 미국 수정 헌법 제18조를 비준하면서 금주법이 전국적으로 시행되었습니다.

금주법은 급속한 성장을 거듭하던 시기 수많은 사회 문제가 벌어지자 음주 행위가 혼란의 한 원인이라고 생각하여 알코올 중독이나 범죄를 줄이기 위한다는 명분으로 마련된 법이었으나, 여기엔 독일 잠수함의 미국 여객선 침몰 사건인 루시타니아 호 사건과 제1차 세계대전으로 불거진 독일에 대한 반감도 큰 몫을 차지했습니다. 금주법을 통해 독일 이민이 양조업으로 부를 쌓는 일을 견제하려는 의도가 있었던 것이죠. 또한 1920년대 미국의 자유로운 사회

분위기를 퇴폐적인 것으로 생각한 기독교 근본주의자들의 영향력 행사도 금주법 제정의 한 배경이었습니다.

영화 〈대부〉는 마피아가 활개치던 금주법 시대의 미국을 잘 보여 준다.

그러나 금주법은 실제로 완벽하게 실시되기 어려웠을 뿐만 아니라 비밀스럽게 술을 만들고 판매하는 밀조, 밀매 등에 따르는 범죄가 크게 늘어나 금주법 시행 기간 동안 이른바 광란의 20년대, 무법의 10년이라고 하는 결과를 낳고 맙니다. 이 기간 동안 정치는 부패했고, 대도시에는 무허가 술집이 생겼으며, 술을 밀수, 밀송, 밀매하는 갱이 날뛰었습니다.

1932년, 결국 민주당은 금주법 폐지를 요구하는 강령을 채택했습니다. 1933년 연방 의회는 수정 헌법 제18조를 폐기하기 위한 수정 헌법 제21조를 제안하는 결의를 채택했고, 1933년 12월 마침내 제18조는 철폐되었습니다. 폐지된 후에도 몇몇 주가 주 전체에 걸쳐서 금주법을 계속 시행했지만 1966년에 와서는 모든 주에서 금주법이 폐지되었습니다.

청교도적인 삶을 추구하는 금주 운동 세력과 제1차 세계대전 당시의 식량 절약 운동 그리고 독일계 이민자들에 대한 반감 등이 작용해 제정된 금주법은 결국 인간의 욕망을 법과 제도로서 규제할 수 없다는 교훈을 남긴 채 1933년 12월로 13년 만에 폐지되고 말았습니다.

제10장
개별성의 가치
개별성이란 뭘까?
개별성은 사물이나 사람 또는 어떤 상황이나 현상이 각각 따로 지니고 있는 특성을 말해.
사람의 경우에는 개성이라는 말과 같은 의미지.
아하 개성!
개별성이야말로 인간을 행복하게 만드는 중요한 요소 가운데 하나이자
개인과 사회의 발전에 결코 빼놓을 수 없는 요소야.
개별성
개별성

왜냐하면 다양함이
좋은 것이라는 사실은
개인의 의견 못지않게
행동 양식에도 적용될 수 있기
때문이야.
인간은 불완전한 존재이기 때문에
서로 다른 의견이 존재하는 것이
유익하듯이
인간 정신
삶의 실험도 다양하게
이루어지는 것이 필요하다는
거지.
다른 사람에게 피해를 주지 않는 한 각자의 개성을
다양하게 꽃피울 수 있어야 하는 거야.
그러므로 다른 사람에게
중대하게 연관되지 않은 일에
대해서는
각자의 개별성이 발휘되도록
하는 것이 바람직하단다.
그런데 이런 원칙을
지켜 나갈 때 부딪히게
되는 가장 어려운 문제는
개별성
개별성 그 자체에 대한
사람들의 무관심이야.
만일 사람들이 개별성의
자유로운 발달이
인간을 행복하게 만드는 데 중요한
요소 중 하나라는
것을 알고
인간행복
개별성

그것이 문명, 지식, 교육, 문화 같은 용어에 반드시 따라다니는 요소이며
文
그 자체가 모든 것들에 없어서는 안 되는 필요조건임을 깨닫는다면
개별성
개별성을 가벼이 여기지 않을 거야.
개별성
인간
그렇지만 대다수 사람들은 각 개인의 개별성이 얼마나 중요한 가치를 지니는지
개별성
또 그것이 왜 소중한지 그다지 생각하지 않아.
개별
더 심각한 사실은
개별성을 인류에게 꼭 필요한 것을 성취하는 데 도움이 되기보다
오히려 방해하는 대상으로 간주한다는 거지.
개별성은 사회 진보의 걸림돌!
밀은 개별성과 관련해서 훔볼트의 말을 인용했어.
훔볼트는 인간의 목표는 인간의 능력을 최고로 또 가장 조화롭게 발달시켜서
완전하고 일관된 전체를 형성하는 것이며
그러므로 모든 인간은 끊임없이 노력해야 하고

지도자가 되려는 사람들이 항상 주의를 기울여야 하는 목표는 개별성이라고 했어.
개별성
이것을 위해서는 자유와 다양한 상황이라는 두 가지 조건이 필요한데
이들의 결합으로부터 개인적 활력과 풍부한 다양성이 생겨나고
또 이러한 바탕으로부터 독창성이 생겨난다고 했어.
그러나 당시 사람들은 훔볼트의 주장을 낯설어 했다고 해.
이 정도로 큰 가치를 부여한단 말인가?
그나마 다행인 것은 사람들이 개별성의 중요성을 어느 정도 알고 있다는 거였지.
개별성이 중요한 것은 인정해야겠군.
문제는 '개별성에 어느 정도의 가치를 부여할 것인가.' 하는 정도였어.
개별성
어느 누구도 다른 사람을 따라가기만 하면 좋은 삶을 살 수 있다고 생각하지는 않잖아?
나를 따르라!
흥! 내가 왜 따라가?
바른길
뿡
자기가 살아가는 방식에 자신의 판단과 고유한 특성을 반영해야 한다는 것을
부인하는 사람은 없는 거지.
고유
그렇다고 개별성을 강조하는 것이 다른 사람의 경험을 무시하라는 의미는 아니야.
나를 따르라!

이 세상에 태어나기 전에는 아무런 지식도 존재하지 않았다는 듯 굴거나
다른 의견은 필요 없지.
경험을 통해서는 얻을 게 없다는 듯 주장하는 것도
내 경험으로 충분해..
마찬가지로 어리석은 일이야.
내가최고~
으히히히~.
사람들은 앞서 살아간 사람들의 경험을 통해 확인한 결과에 대해 알고 그 혜택을 받을 수 있도록 가르침과 훈련을 받아야 하는 거란다.
다만 밀은 나이가 들어 자신의 방식대로 경험을 이용하고 해석하는 것은
난 하루 두 끼가 적당하더라.
인간의 특권이고 인간다운 삶을 살기 위한 조건이라고 보았어.
내 체질에 맞아….
나머지 한 끼는 내 거!
밀은 다른 사람들의 전통과 관습은 경험이 그들에게 가르쳐 준 증거라고 보았어.
그러나 전통과 관습은 적절한 수준에서 참고해야 해.
왜냐하면 첫째, 그들의 경험이 너무 부분적이거나 잘못 해석됐을 수 있고
우리는 들소를 잡지요.
우리는 황소인데….
둘째, 해석은 옳을지 몰라도 그 사람에게는 어울리지 않을 수 있으니까.
들소는 영양이 풍부하지요.
우리나라에 없다니까….
셋째, 관습 그 자체가 괜찮고 그 사람에게 어울린다 해도
우리 것이 좋은 것이여~
꽤괭꽹~

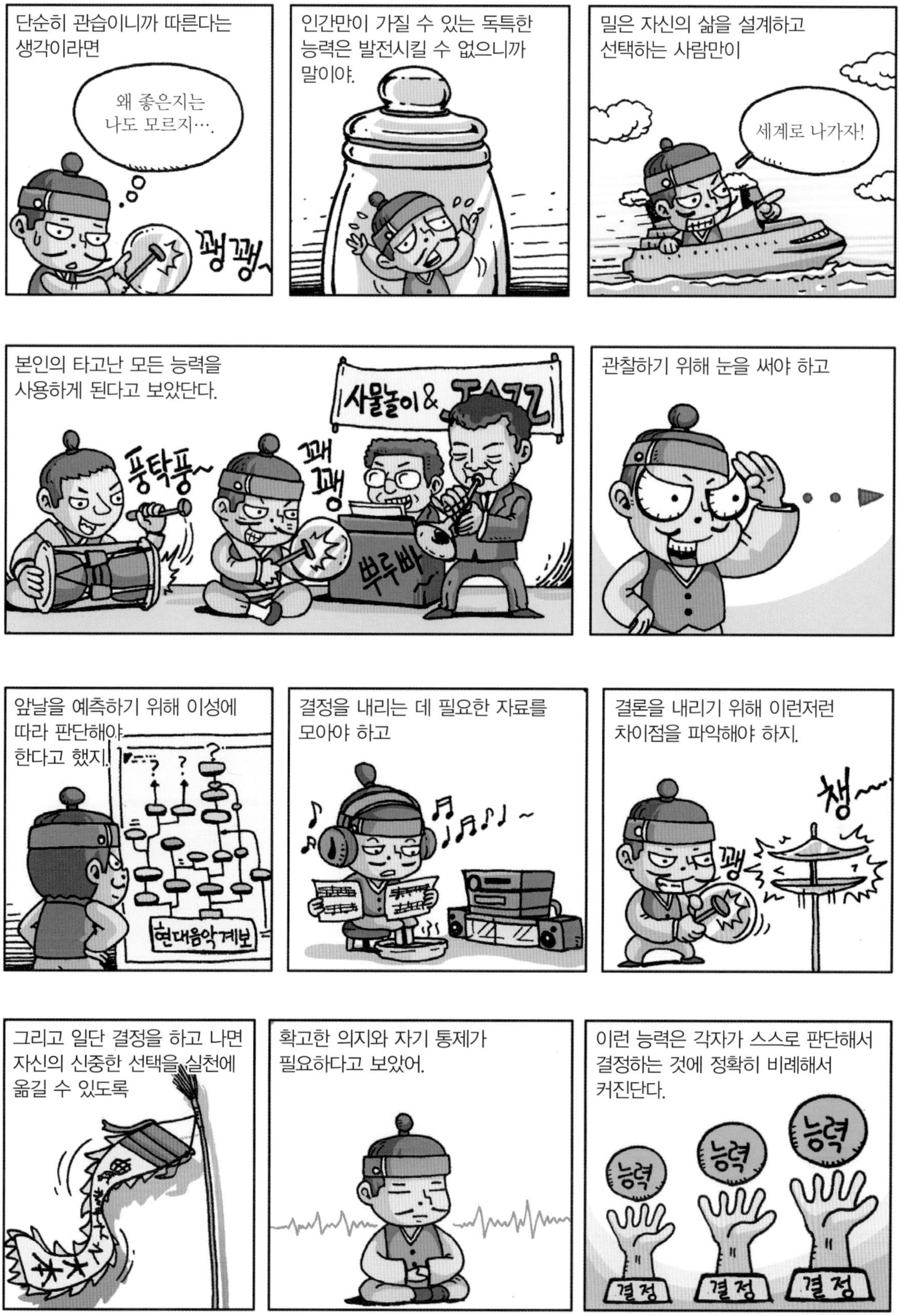
단순히 관습이니까 따른다는 생각이라면
왜 좋은지는 나도 모르지….
꽹꽹~
인간만이 가질 수 있는 독특한 능력은 발전시킬 수 없으니까 말이야.
밀은 자신의 삶을 설계하고 선택하는 사람만이
세계로 나가자!
본인의 타고난 모든 능력을 사용하게 된다고 보았단다.
사물놀이 & JAZZ
풍탁풍~
꽤꽹
뿌루빠
관찰하기 위해 눈을 써야 하고
앞날을 예측하기 위해 이성에 따라 판단해야 한다고 했지.
현대음악계보
결정을 내리는 데 필요한 자료를 모아야 하고
결론을 내리기 위해 이런저런 차이점을 파악해야 하지.
챙~
꽹
그리고 일단 결정을 하고 나면 자신의 신중한 선택을 실천에 옮길 수 있도록
확고한 의지와 자기 통제가 필요하다고 보았어.
이런 능력은 각자가 스스로 판단해서 결정하는 것에 정확히 비례해서 커진단다.
능력
능력
능력
결정
결정
결정

물론 이런 것 없이도 위험을 피해 좋은 길로 갈 수도 있어.
그냥 남들 하는 만큼….
꽹꽹~
그러나 이 둘 가운데 어느 경우에 인간으로서 더 가치 있는 삶을 살게 될까?
인간에겐 무엇을 하는지뿐만 아니라
무엇을
그 일을 '어떤 방식으로 하는지' 역시 대단히 중요해.
무엇을
어떻게
인간은 본성상 모형대로 찍어 나온 존재가 아니고
시키는 대로 따라 하는 기계가 아니니까.
인간의 본성은 생명을 불어넣어 주는 내면의 힘에 따라
온 사방으로 스스로 자라고 발전하려 하는
쑥~
나무와 같은 존재야.

다행히도 사람들은 각자
나름대로 관점을 가지는 것이
바람직하며
나도 보는 눈이 있지.
나도
전해 내려오는 관습을
비판적으로 수용하거나
모양은 없지만 기능은 좋으니….
때로 그것을 비판적으로
거부하는 것이
맹목적으로나 기계적으로 추종하는 것보다 더 낫다는 사실을 대개는 인정하지.
그러나 욕망이나 충동에
대해서는 어떨까?
욕망
충동
사람들은 욕망이나 충동에
대해서는 그 가치를
인정하지 않아.
그런 말은 하지 마세요.
난 순결해..
욕망이나 충동에도 나름의
특성이 담겨 있다는 사실과
욕망
충동
욕구와 충동을 가질지라도 위험하거나
크게 나쁘지 않다는 사실을
잘 조절하면 괜찮아.
잘 인정하려 들지 않지.
믿을 수가 없어.
그러나 그 둘 역시 완전한
인간을 만드는 데 필수야.
성실
양심
사랑
신념
욕망
충동
자제
지식
밀은 인간의 욕망이 너무 강해서
나쁜 결과를 낳는 것이 아니라
욕망에 비해 양심이 약한 것이
문제라고 보았어.

어떤 사람의 욕망과
감정이 다른 사람보다
더 강하고
더 다양하다는 것은
무슨 의미일까?
밀은 그런 사람은 인간으로서
타고난 자질이 더 풍부하고
따라서 남보다 나쁜 일을
더 많이 할 수도 있지만
하이,
히틀러!
대체로 그보다는 좋은 일을 할
가능성이 더 크다고 보았어.
마하트마!
간디!
강력한 충동이란 에너지의 다른
이름이라고 보았거든.
충동
초기 발전 단계에 있는
사회에서는 개별성이 지나쳐
사회적 규율을 유지하는 데
애를 먹기도 했어.
그러나 밀이 살던 당시에는 사회가
개별성을 훨씬 효율적으로 통제할 수
있게 되었지.
사회
밀은 이제 개인의 충동과 선호가 차고
넘쳐서가 아니라
그런 것이 부족해서 인간 존재를 위협하는
시대가 되었다고 했어.

왜냐하면 지위가 높은
사람에서부터 낮은 사람까지
모두가 적대적인 시선과 검열의
위험 속에 살고 있기 때문이야.
그 결과 사람들은 자신에게만
관계되는 일에 대해서조차
나의 취향
자신이 무엇을 더 좋아하는지,
자기 성격과 취향에 맞는 것이
무엇인지
또는 어떻게 해야 자신의 타고난 최고의 재능을 충분히 발휘하고
키울 수 있는지 고민하지 않게 되었다고 보았어.
아흐~ 귀찮아. 뭐가 이리 복잡해….
대신 자신의 위치에 어울리는
것은 무엇이고
내가 낄 곳은 어디인가?
자기와 비슷한 신분의 사람
또는 경제적 여건이 비슷한 사람은
주로 무엇을 하는지
안녕 하슈
심지어는 자기보다 높은 위치에
있는 사람이 즐겨 하는 것이
무엇인지 등을
궁금해하는 거지.
밀은 이것이 자신의 기질에
어울리는 것보다는
관습적인 것을 더 선호하는 선에서
그치지 않는다고 보았어.
관습
관습적인 부분을 빼고 나면

아예 따로 자기 고유의
기질이 없다고 보았지.
난 뭐가
될까…?
정신 자체가 굴레에
묶여 있는 거지.
재미 삼아 하는 일도 다른 사람이
하는 걸 따라 하고,
나도 빨대를
꽂을 걸 그랬나?
군중에 묻혀 들어가기를 좋아하는 거지.
남들이
좋다니까.
KOREA
선택도 그저 사람들이 흔히 고르는
것 중 하나를 택하게 돼.
자장이나
짬뽕 중 하나지
뭐….
독특한 취미나 유별난 행동은 범죄처럼
기피 대상이 되지.
그런 거
하지 마!!
한마디로 자기만의 고유한 감정도 취향도
모두 없어진 거야.
이것이 바람직한
상황일까
나쁜 상황일까?
당연히
나쁜
상황이죠!
그야말로
개별성이
사라지는
거잖아요!
하지만 이를
바람직하다고
보는 사람이
있어.
도 대체
누가!!

바로 칼뱅이지!
Jean Calvin
(1509-1564)
칼뱅?
칼뱅은 16세기
프랑스의 종교
개혁자야.
신의 절대적
권위를 강조한
사람이네요.
칼뱅주의
종교개혁
평가가 좋군…
그런 사람인 만큼
칼뱅은 인간이
자기 뜻대로 사는 것은
그리스도교 강요
교회 규율
인간이 저지를 수 있는 죄악 가운데서도 가장
무거운 것으로 봤어.
죄
엥?
뭐야?
칼뱅은 인간이 할 수 있는 좋은 일은
모두 복종과 관련이 있다고 보았어.
남들은 자유를 사랑한다지만
나는 복종을 좋아해요.
의무가 아닌 것은 모두
죄악이라고 본 칼뱅은
3 combo
죄
죄
죄
인간이 신의 의지를 잘 따르는
것 외에
찬송
다른 용도로 자신의 능력을 쓴다면
차라리 그 능력 자체를 가지지 않는
것이 더 좋다고 했어.
하지만 밀은 어느 종교든 인간이
어떤 선한 존재에 의해
창조되었다는 믿음을
가졌다고 보았어.

이런 선한 존재가 그 자신이 인간에게 준 모든 능력이
잘 자라고 번성하기를 바라고
그가 기대한 대로 인간들이 차츰 발전해 나갈 때마다
기쁨을 느끼리라고 믿는 것이 논리에 맞지 않을까?
각자의 개별성이 발전하는 것과 비례해서
사람은 자기 자신에 대해 더욱 가치 있는 존재가 되며
또 그로 인해 다른 사람에게도 더욱 가치 있는 존재가 될 수 있는 거지.
각 개인이 이처럼 의미 있는 삶을 영위하면
개인들이 모인 사회 역시 더욱 의미 있는 존재가 되겠지.
이렇게 본다면 개별성이 인간사에서 가치 있는 요소란 것을 부정하진 못할 거야.

밀은 새로운 진리를 발견하여
진리
이전 진리가 완벽하지 않다는 것을
보여 주고
진리
진리
새로운 관행을 시작하여
차별
인권
더욱 발전된 행동과 수준 높은 취향을
선보이는 사람이 소중하다고 했어.
인권
인종
평화
생태
사랑
우리가 사는 이 세상이 이미 완벽한 세상이라고 믿지
않는다면 이를 부인할 수 없지.
진리(眞)
진리
진리
진리
진리
진리
진리
진리
많은 사람 가운데서 극히 일부만이
새로운 실험을 주도할
뿐이야.
사람들이 새로운 그 길을
따라간다면
사회 전체가 한 단계 더 발전할 가능성이 있는 거야.
그러니 이들 소수야말로
세상의 소금과 같은 존재지!

이들이 없다면 우리 삶은 정체를 면치 못할 거야.
이들은 전에 없던 새로운 좋은 것을 만들어 낼 뿐만 아니라
이미 존재하는 좋은 것을 잘 유지 · 발전시키기도 하니까.
그래서 천재 같은 사람은 자기 방식대로 세상을 살아갈 수 있어야 해.
그런데 밀은 당시 사회 상황은 다수 보통 사람들의 주장이
점점 압도적인 힘으로 온 세상을 지배하고 있다고 보았어.
따라서 널리 통용되는 의견의 잘못을 지적하고 시정할 수 있도록
뛰어난 사상을 지닌 사람들의 개별성이 더욱 발휘되어야 한다고 강조했지.
소수의 뛰어난 사람이 대중의 생각과 다른 방향으로
자유롭고 거리낌 없이 행동하고 살아가도록 장려되어야 한다는 거지.
그들이 시대의 획일성을 거부하는 파격과 관습을 따르지 않는 것만으로도
관습
인류에게 크게 봉사하는 셈이 된다고 보았거든.
진보

하지만 이런 점이 탁월한 정신적 능력을 갖춘 소수에게만 적용되는 것은 아니야.
누구든지 웬만한 정도의 상식과 경험만 있다면
상식
상식
자신의 삶을 자기 방식대로 살아가는 것이 가장 바람직한 거야.
그 방식 자체가 최선이기 때문이 아니라
자기 방식대로 사는 길이기 때문에 바람직하다는 거지.
꿈틀~
내가 좋아서 하는 거야.
사람이 자신에게 꼭 맞는 신발이나 외투를 가지는 것이 힘든 것처럼
부욱!
기쁨과 고통을 느끼는 것도 사람에 따라서 아주 다양해.
어~ 시원하다.
40°C
아이고 뜨거워!!
그러므로 각자의 경우에 맞는 다양한 삶의 형태가 허용되지 않는다면
인간은 충분히 행복해질 수 없는 거야.
행복
하지만 여론은 그렇지 못하지.

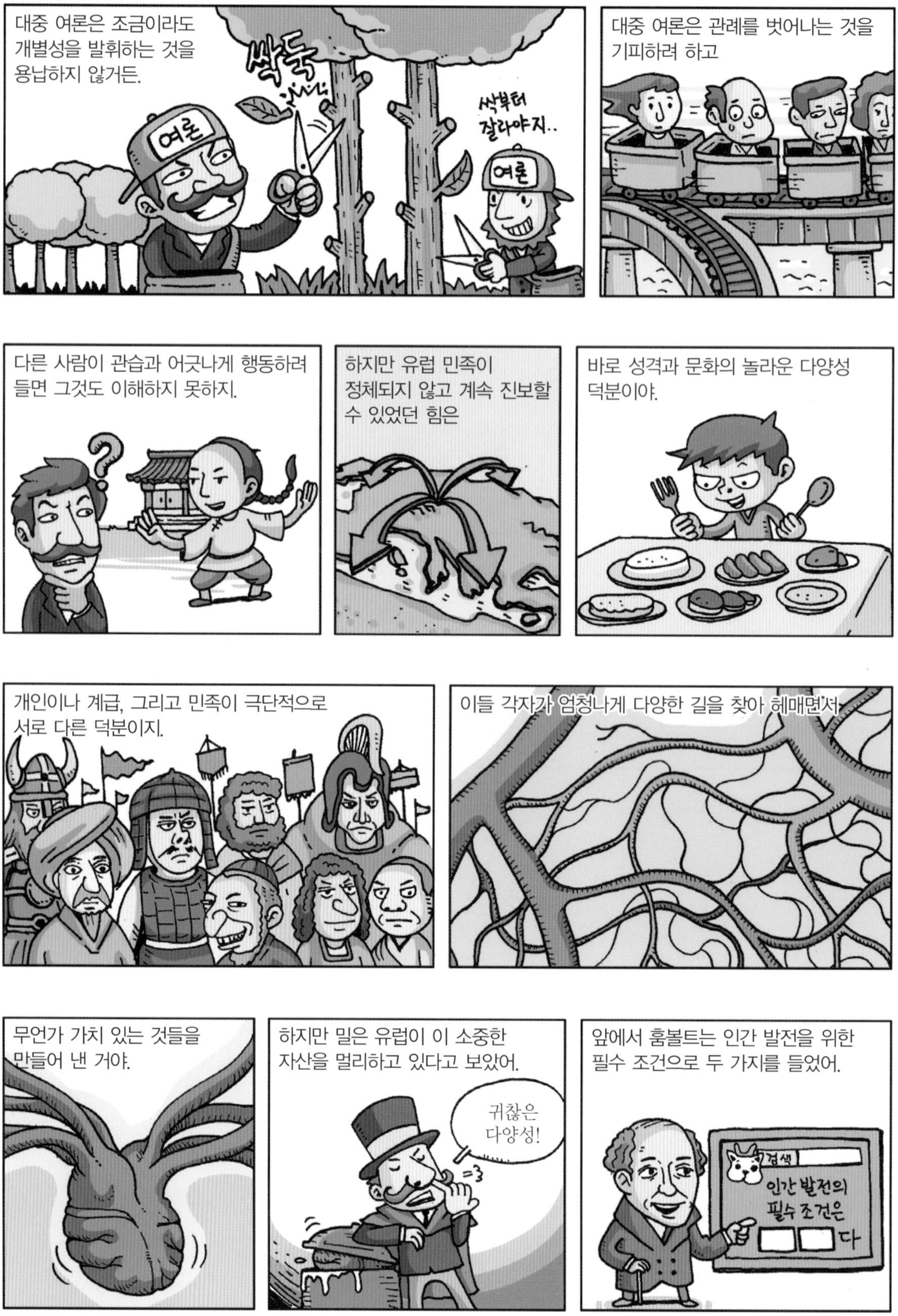
대중 여론은 조금이라도
개별성을 발휘하는 것을
용납하지 않거든.
싹둑
여론
싹부터
잘라야지..
여론
대중 여론은 관례를 벗어나는 것을
기피하려 하고
다른 사람이 관습과 어긋나게 행동하려
들면 그것도 이해하지 못하지.
하지만 유럽 민족이
정체되지 않고 계속 진보할
수 있었던 힘은
바로 성격과 문화의 놀라운 다양성
덕분이야.
개인이나 계급, 그리고 민족이 극단적으로
서로 다른 덕분이지.
이들 각자가 엄청나게 다양한 길을 찾아 헤매면서
무언가 가치 있는 것들을
만들어 낸 거야.
하지만 밀은 유럽이 이 소중한
자산을 멀리하고 있다고 보았어.
귀찮은
다양성!
앞에서 훔볼트는 인간 발전을 위한
필수 조건으로 두 가지를 들었어.
검색
인간 발전의
필수 조건은
다

즉 자유와 상황의 다양성을
들었는데
인간 발전의
필수 조건은
자유
와
상황의 다양성
이다
이는 결국 사람들이 서로 똑같지
않아야 한다는 말의 다른 표현이야.
다양성이
중요하지.
그런데 두 번째 조건인 다양성이
당시 영국에선 하루가 다르게
줄어들고 있다는 게 밀의 생각이었어.
과거와 비교해 볼 때
상대적으로 같은 것을 읽고
같은 장소에 가고 같은 것에 희망을
걸거나 공포를 느끼고
같은 권리와 자유를 누리고 그것들을
같은 방법으로 주장하면서 살아간다고
보았지.
그리고 밀은 정치적 변화도
이를 부추긴다고 보았어.
정치가
한몫해서….
신분이 낮은 사람들은 끌어올리고
신분이 높은 사람들은 끌어내리기
때문이야.
교육의 기회가 확대되는 것
역시 동일한 현상을 부추긴다고
밀은 주장했어.
교육
왜냐하면 교육이 사람들을
비슷한 영향권 아래 들게 하고
비슷한 사실과 감정을 접하기
쉽게 만들기 때문이지.
사실
감정

통신 수단의 개선도 멀리 떨어져 있는 사람들끼리 개인적으로 접촉하기 쉽게 하고
한 장소와 다른 장소로 거주지를 옮기는 속도도 빠르게 함으로써 영향을 끼쳐.
상업과 제조업의 발달은 편리한 환경이 주는 이점을 널리 퍼뜨리고
모든 사람들이 최고 수준의 목표에 대해 똑같이 야망을 품을 수 있게 만들지.
출세라는 것 또한 특정 계급의 전유물이 아니라
누구에게나 열림으로써 역시 비슷한 결과를 촉진했어.
그런데 위의 예보다 더욱 더 다양성이 사라지게 하는 것이 있어.
그것은 바로 여론이 국가를 움직이는 중요한 변수로 떠오르고 있다는 사실이야.
지금은 여론이 굉장히 중요하잖아요?
그게 바로 발전이고 민주주의 아닌가요?
하지만 개별성에는 나쁜 영향을 끼치지.
자유토크
대중이 수로 밀어붙이는 것에 대항하면서

대중과 다른 자신만의 생각이나 경향을 지키는 강력한 사회 세력이
나만의 주장
아예 존재하지 않게 되었으니까.
이런 이유들이 합쳐져서 개별성에 악영향을 끼치는 거야.
개별성
개별성을 어떻게 보존할 수 있을지 막막하기만 한 상황인 거지.
개별성
그나마 대중보다 앞서 있는 지식인들이 개별성의 중요성을 깨닫지 못하는 한
개별성!
즉 '사람들이 서로 다른 것이 비록 상황을 더 낫게 만들지는 못하더라도
다들 똑같은 것보다는 낫다.'라는 사실을 깨닫지 못하는 한
사정은 그리 나아지지 않을 거야.
그러나 달리 보면 사람들을 아직 완벽하게 하나로 묶지 못하고 있는 시대 상황이야말로
내 주장을 지키리라!
나만의 주장
개별성의 중요성을 다시 강조할 수 있는 좋은 시기라고 생각해!

칼뱅과 칼뱅주의

프랑스의 종교 개혁가이자 신학자인 장 칼뱅은 변호사의 아들로 태어나 일찍부터 우수한 교육을 받았습니다. 칼뱅은 어렸을 때 가톨릭 신자였으며, 사제가 되기 위해 파리로 가서 사제 수업을 받기도 하였으나 뒤에 아버지의 뜻에 따라 법률가가 되고자 법학으로 전환하였습니다. 칼뱅은 가톨릭 교회의 장학금을 받으며 법학을 공부했지만 유럽을 휩쓰는 종교 개혁의 열풍 속에서 프로테스탄트가 됐습니다.

그 후 칼뱅은 가톨릭 국가인 프랑스 정부의 박해를 피해 스위스의 프로테스탄트 중심지 바젤로 가서 신학을 연구했습니다. 그의 대표적인 저서《그리스도교 강요》는 박해받는 프랑스 개신교 신자들을 위로하기 위하여 쓴 것이며, 그는 1536년 제네바로 들어가 그곳에서 종교 개혁을 단행하고, 죽을 때까지 제네바를 종교적으로 지배하였습니다.

칼뱅의 교리 중 가장 핵심적인 것은 '예정설' 입니다. 즉 인간이 구원을 받느냐 못 받느냐 하는 것은 신이 이미 결정해 놓았다는 것이죠. 칼뱅은 인간의 구원이 전적으로 신의 은총에 의지하는 것이라고 주장했으며, 인간에게는 주어진 운명을 변화시킬 능력이 없다고 했습니다.

근면, 금욕, 절약을 강조한 칼뱅의 무덤에는 'JC' 라는 글자만 새겨져 있을 뿐이다.

칼뱅은 구원에 대한 확실한 증거는 '사회생활에서의 성공'에 있다고 주장했습니다. 현실에서의 성공은 한 개인이 신에 의해 선택된 자임을 보여 주는 반면에, 실패는 신에 의해 비난받고 있음을 보여 준다는 것입니다. 그러므로 모든 인간은 자기가 선택되었다는 확신을 가지고 신의 영광을 위해 살아야 한다고 주장했습니다. 그리고 구원의 증거인 사회적 성공을 가능하게 하는 것은 '근면, 금욕, 절약'이라고 하였습니다.

이러한 칼뱅의 주장은 재산의 축적과 합법적 이윤의 추구를 적극적으로 긍정하고, 이를 위한 금욕적인 생활 윤리를 형성하게 하였습니다. 따라서 칼뱅의 주장은 당시 발전하고 있던 생산적인 중산 계급에게 널리 받아들여졌고 자본주의 발전을 촉진시켰습니다.

칼뱅주의의 중심지였던 제네바에서는 시민들에게 매우 엄격한 금욕 생활이 강요되었습니다. 축제와 오락 모임을 금지하고 극장도 폐쇄하였으며 음주, 방탕, 저속한 노래 등을 금지하였습니다. 교회 규율도 엄격해 신도들을 투옥, 추방하고 사형도 서슴지 않았고, 특히 종교적 범죄자를 잔인하게 처벌했습니다.

칼뱅은 모든 영광은 하나님에게 돌아가야 하고 인간은 찬양과 숭배의 대상이 되어서는 안 된다는 굳은 신념을 가졌습니다. 그는 죽을 때 '장례를 치르지 말고 무덤에 어떤 표시도 하지 말라.'는 유언을 남겼습니다. 그래서 제네바 공동묘지에 있는 칼뱅의 무덤에는 아무런 장식도 하지 않았습니다. 훗날 그의 무덤이 잊혀질 것을 염려한 사람이 'JC'라는 글자가 새겨진 작은 돌을 세워 놓았을 뿐입니다.

제11장
간섭의 한계는 어디까지일까?
政府 Government 사회 Society 社會
Politics
사회가 개인에 대해 간섭할 수 있는 정당한 권한의 한계를 분명히 하려는 이유는
바로 개인의 자유에 대해 함부로 간섭하지 못하도록 하기 위함이야.
그렇다면 우리의 삶에서 개별성에 속하는 부분은 어디까지이고
사회에 속하는 부분은 또 어디까지일까?
밀은 개인과 사회는 각각 자신과 특별하게 관계되는 것에 대해 정당한 권리를 가진다고 보았어.

개인이 일차적으로 이해관계를
가지고 있는 삶의 부분은
개별성에
속하고!
사회가 기본적으로 이해관계를
가지고 있는 것에 대해서는
사회가
권한을
가져야지!
밀은 사회가 비록 계약에 의해
만들어진 것은 아니지만
사회는
자연스럽게
만들어졌지.
사회에서 보호받는 사람이라면
누구든
자신이 혜택을 받은 만큼 사회에
보답해야 한다고 보았어.
권리만큼
의무가…!
또 그 사회 속에서 사는 한은
다른 사람과 살아가려면
일정한 행동 규칙을 준수하는
것이 필요하다고 했지.
내가 필요하다고
본 행동 규칙은
다음과 같아.
행동
규칙
첫째, 개인의 권리로 인정되어야만
하는 특정 이익을 침해해서는
안 된다.
둘째, 각자는 사회와 사회
구성원을 보호하기 위해
요구되는 노동과 희생 가운데서
자기 몫을 감당해야 한다.
우리를,
나를
위해서!
이런 의무를 거부하는 개인이 있으면
나 안 해!!

사회는 무슨 수를 쓰더라도
그것을 강제할 수 있어.
어느 누구의 어떤 행동이든
다른 사람의 이익을 부당하게 침해하면
바로 그 순간부터 사회가 그에 대해 사법적 권한을
가지는 거야.
그러나 개인의 행동이 다른 사람과는
아무 관계가 없고
단지 본인의 이익에만
영향을 미친다면
각 개인은 그런 일과 그로 인한 결과에 대해
절대적인 법적 · 사회적 자유를 누려야 하는 거지.
물론 그렇다고
이기적인 무관심을
내세우면 안 돼.
밀은 자신과 이해관계가 없는 다른
사람의 행동에 대해
내 문제
아니니까.
아무런 상관도 하지 않고 관심을 가질
필요도 없다고 생각하는 것은
금물이라고
했어.
그것은 심각한
오해지!

오히려 이 원리는 우리 모두가
다른 사람의 이해를 위해
진이
개인
개인
사심 없는 노력을 많이 기울여야
하는 것임을 강조했지.
이해
밀은 사심 없이 남을 돕는 경우에도
그가 자기에게 좋은 것을
스스로 하도록 설득하는 방법을
찾는 것이 바람직하다고 했어.
사람은 좋은 것과 나쁜 것을 구분하며
나쁜 것은 피하고 좋은 것을
취하도록
서로 격려하며 살
의무가 있다고
봤지.
서로 도와 가며
사는 것이…
그러나 어느 누구도 성인이 된
사람에게
야!
스스로 자기 인생을 위해
선택한 일을 하지 말라고
말할 자격은 없는 거야.
그만해!
누구보다도 본인이 자기를
가장 아끼는 법이니까.
난 춤이
좋아!!
아주 긴밀한 인간적 관계가
아니라면

타인에게 가지는 관심이라는 것은 자기에게 가지는 관심에 비하면 보잘것없는 거니까.
너한테 관심이 많아.
나도~.
그리고 사회가 개인에게 가지는 관심이라는 것은
도와줘!
그야말로 부분적이고 간접적인 거야.
이에 반해 아무리 평범한 사람이라도
추우실 텐데 들어가세요.
자기 자신의 감정과 환경에 관한 한 누구보다도 자신이 더 잘 알고 있는 법이니까.
아뵤~
내 몸은 내가 잘 알아!
따라서 밀은 당사자에게만 관계되는 문제에 대해
본인 스스로 내린 결정과 마음먹은 목표를
사회가 끼어들어 바꾸는 것은
그게 아니잖아!
잘못된 가정 위에서나 가능한 일이라고 했어.
그래서 나도 내 맘대로 한 건데….
당신이야말로 사회가 끼어들어야 할 필수 조건이야!!
그러므로 각 개인 고유의 문제라면

그 사람의 개별적 자발성에
전적으로 맡겨야 해.
자발성
물론 그 사람의 판단을 돕기 위한
고려나
너무
무리하시면
안 좋아요.
의지를 강화시키기 위한 경고
정도라면 다른 사람이 할 수 있지.
체력을 위해서는
골고루 드셔야
하고요.
잔소리~ 잔소리 잔소리 ~잔소리 잔소리 잔소리 ~잔소리
경우에 따라서는 강요도
할 수 있는 거고.
안 먹어!!
MILK
다다다
그러나 어떤 상황에서든 본인이 최종 결정권을
가져야 하는 거야.
내 몸은
내게 맡겨!
육식을
삼가야해
물론 다른 사람의 충고나 경고를
듣지 않음으로써
이런저런 실수를 저지를 수도 있어.
맛있겠다..
FAT
그러나 그런
실수라는 것도
타인이 보기에
그에게 이익이 되는 듯해서
영양
실조야…
그의 뜻을 무시한 채 강제할 때
발생되는 손실에 비교하면 아무것도
아니야.
심장
신장
고혈압

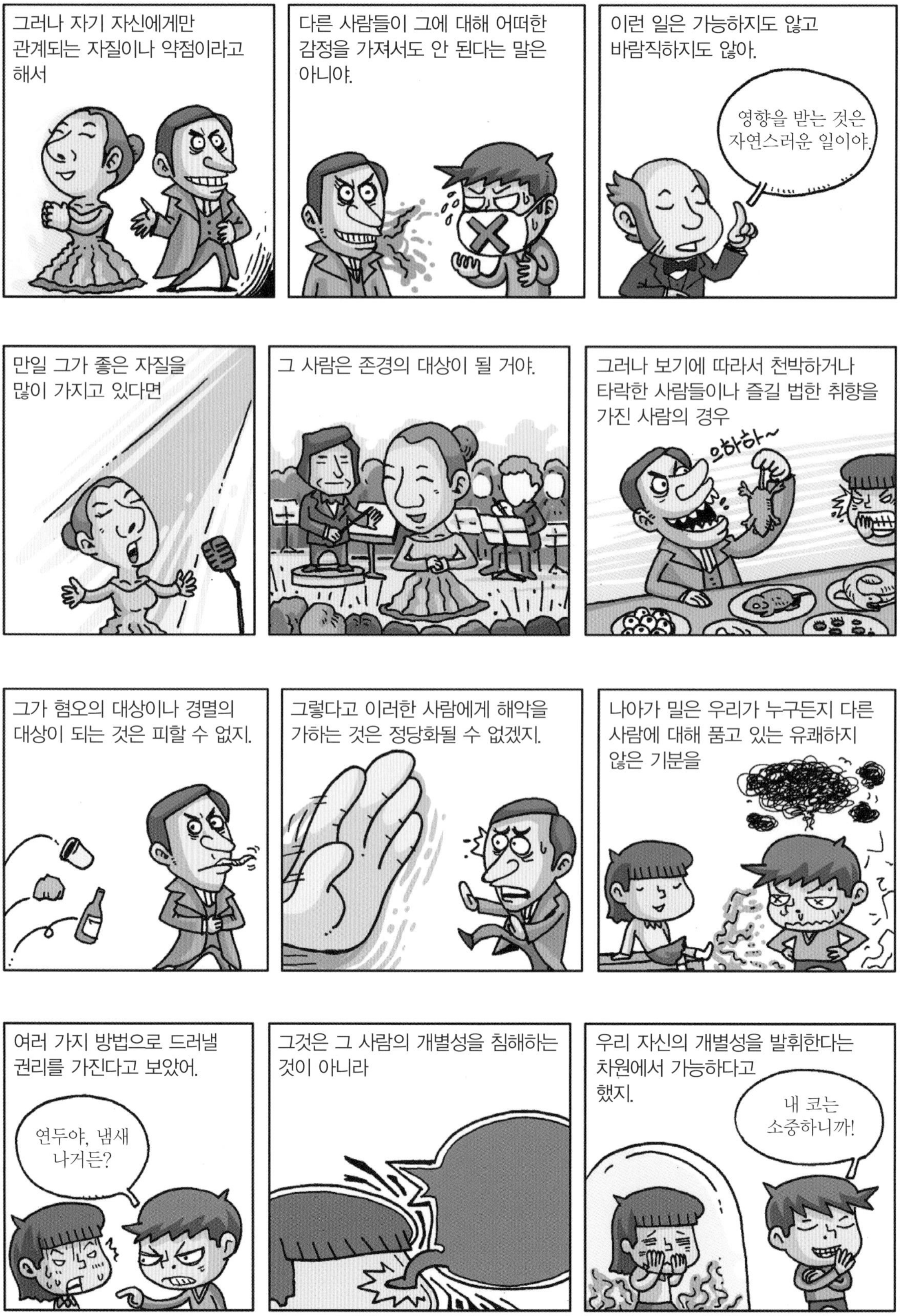
그러나 자기 자신에게만 관계되는 자질이나 약점이라고 해서
다른 사람들이 그에 대해 어떠한 감정을 가져서도 안 된다는 말은 아니야.
이런 일은 가능하지도 않고 바람직하지도 않아.
영향을 받는 것은 자연스러운 일이야.
만일 그가 좋은 자질을 많이 가지고 있다면
그 사람은 존경의 대상이 될 거야.
그러나 보기에 따라서 천박하거나 타락한 사람들이나 즐길 법한 취향을 가진 사람의 경우
으하하~
그가 혐오의 대상이나 경멸의 대상이 되는 것은 피할 수 없지.
그렇다고 이러한 사람에게 해악을 가하는 것은 정당화될 수 없겠지.
나아가 밀은 우리가 누구든지 다른 사람에 대해 품고 있는 유쾌하지 않은 기분을
여러 가지 방법으로 드러낼 권리를 가진다고 보았어.
연두야, 냄새 나거든?
그것은 그 사람의 개별성을 침해하는 것이 아니라
우리 자신의 개별성을 발휘한다는 차원에서 가능하다고 했지.
내 코는 소중하니까!

예를 들어 우리는 그 사람이 속한 모임을 피할 권리를 가지고 있어.
미녀 클럽★
발냄새 클럽이군.
또 그를 조심해야 한다고 주위에 알려 주는 것 역시 우리의 권리이고 의무일 수 있어.
수영장에 들어가지 마!
이러한 다양한 방식을 통해 자신에게만 직접적으로 관계된 결함을 가진 사람이
이건 내 문제야.
다른 사람에 의해 일종의 처벌을 받게 될 수도 있어.
몸을청결히 한후 들어 오세요★
하지만 이것은 그 행동의 결함에 따른 자연스러운 결과야.
그것이 처벌을 목적으로 의도적으로 가해진 것은 아니라는 거지.
자발적
자기에게만 관계되는 결점을 가진 사람이나
예를 들면 경솔하고 완고한 사람.
마누라들은 집안에나 틀어박히쇼.
우~
절제하는 삶과 거리가 먼 사람
그리고 패가망신하기 좋은 탐닉에서 벗어나지 못하는 사람이나
품격 높은 감성과 지성은 마다하고 동물적인 쾌락만 좇는 사람은
앙냥냥냥~..

자신에 대한 사람들의 평판이 나쁘리라는 점을 각오해야 해.
우~…
우~…
어떤 사람이 자기 자신에게만 문제가 되고
이건 내 문제야!
자신과 관계있는 다른 사람의 이익에는 영향을 주지 않는 행동과 성격 때문에
무언가 감수해야 할 불이익이 생긴다면
난 돈을 빌려 준 적도 없고 빌린 적도 없으니 상관 마슈!
그것은 다른 사람이 자신에게 비우호적인 판단을 하는 데에 따른 불편함을 느끼는 것뿐이야.
다들 나를 싫어하는군….
그러나 남에게 해를 주는 행동은 전혀 달라!
타인의 권리를 침해하는 것.
정당한 권리 없이 다른 사람에게 손해를 끼치고 타격을 입히는 것.
거짓으로 또는 겉과 속이 다르게 사람을 대하는 것.
불공정하게 또는 관대하지 못하게 남의 이득을 얻는 것.
심지어 다른 사람이 위험에 빠졌는데 모른 척하는 것.

이것들은 도덕적 비난을 받거나 심각한 경우 법의 처벌을 받아야 해!
이와 같은 직접적인 행동이 아니라
그런 행동을 유발하는 성향도 비도덕적이며 비난의 대상이 되지.
성향
잔인한 기질, 악의적이고 나쁜 천성.
질투, 위선과 불성실….
그리고 별것도 아닌 일에 곧잘 화를 내는 것.
밥먹고 소화가 안돼!!
옳지 못한 대접을 받았다고 지나치게 분노를 느끼는 것.
양이 적어
다른 사람에게 위세 부리기를 즐기는 것.
난 명품만 타지…
자기 몫 이상을 얻으려고 욕심을 부리는 것.
남을 깎아내림으로써 만족을 얻는 자만심.
특히 자기와 자기에게 이익이 되는 것만 생각하고
이득
모든 문제를 자기 입맛대로 결정하는 이기심 같은 것은

모두 부도덕한 것으로 나쁘고 혐오스러운 성격을 만들지.
앞서 말한 자기에게만 해당되는 결점들은
앙냥냥냥~~.
도덕적으로 나쁜 것이라 할 수 없고
많이 먹는 걸 나쁘다고 할 수는 없잖아?
또 현실 속에서도 그렇게 부도덕한 결과를 낳지 않는 데 반하여
방탕한 만큼 열심히 일한다고.
이것들은 그렇지 않아.
자기 자신에게만 관계되는 결점들은
으하하하!
인격적 존엄과 자존심을 결여하고 있음을 보여 주는 증거일 뿐이지만
비도덕적인 결점은 그로 인해 개인이 스스로 보살펴야 할 타인의 권리가 침해되는 것이므로
바로 도덕적 비난의 대상이 되기 때문이야.
사려 깊지 못하고 인간적 존엄을 지니지 못한 탓에 타인에게 대접받지 못하는 것과
다른 사람의 권리를 침해한 까닭에 비난받는 것은 명목상 차이 이상으로 달라.

어떤 사람이 우리를 불쾌하게 만들면 어떨까?
당연히 싫다고 얘기를 해야죠!
그런 사람에게 흥미나 관심을 보임으로써 간섭하는 것이 아닌 이상
먹기왕
그를 가장 심하게 대하는 것은 그를 그냥 내버려 두는 거야.
헉… 이른바 왕따군.
너야 너…
흠……
하지만 그가 주변 사람들을 보호하는 데 필요한 규칙을 위반했다면
그런 경우는 이야기가 완전히 달라져!
그가 저지른 잘못으로 인해 다른 사람들이 피해를 보기 때문이야.
사회는 그에게 응징을 가해야 하고 징계의 표시로 고통을 주어야 하며
그 처벌이 무겁도록 신경을 써야 해.
그런데 자기에게만 문제 되는 것과 다른 사람과 관계되는 게 구분이 되나요?
사람은 다른 사람과의 관계에서 살아가는데….
훗, 똑똑하구나!
무슨 일이든 주변에 전혀 영향을 끼치지 않는 경우가 있을까?

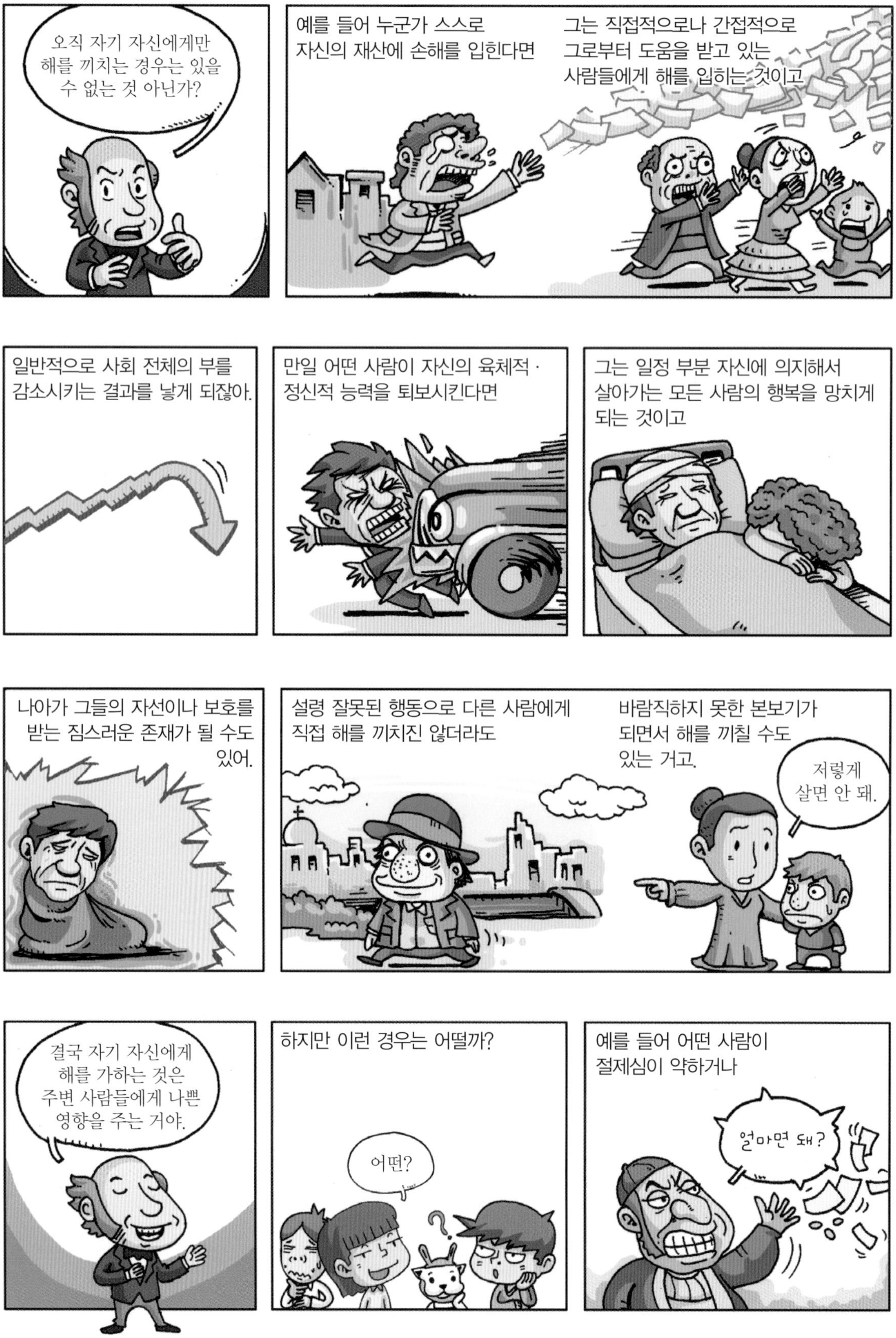

오직 자기 자신에게만 해를 끼치는 경우는 있을 수 없는 것 아닌가?
예를 들어 누군가 스스로 자신의 재산에 손해를 입힌다면
그는 직접적으로나 간접적으로 그로부터 도움을 받고 있는 사람들에게 해를 입히는 것이고
일반적으로 사회 전체의 부를 감소시키는 결과를 낳게 되잖아.
만일 어떤 사람이 자신의 육체적 · 정신적 능력을 퇴보시킨다면
그는 일정 부분 자신에 의지해서 살아가는 모든 사람의 행복을 망치게 되는 것이고
나아가 그들의 자선이나 보호를 받는 짐스러운 존재가 될 수도 있어.
설령 잘못된 행동으로 다른 사람에게 직접 해를 끼치진 않더라도
바람직하지 못한 본보기가 되면서 해를 끼칠 수도 있는 거고.
저렇게 살면 안 돼.
결국 자기 자신에게 해를 가하는 것은 주변 사람들에게 나쁜 영향을 주는 거야.
하지만 이런 경우는 어떨까?
어떤?
예를 들어 어떤 사람이 절제심이 약하거나
얼마면 돼?

낭비벽이 심해 가족을 부양하지 못하고 자식 교육을 시키지 못한다면
비난받아 마땅하겠지?
반면 어떤 사람이 아주 신중한 검토 끝에 사업에 투자했다가
경
돈을 모두 써서 가족을 부양하지 못하고 자식 교육을 시키지 못한다면
부도
그때도 비난을 피할 수 없게 되고 말이야.
두 경우 모두 비난받는 이유는 '가족에 대한 의무를 다하지 못해서'이지
낭비벽이나 사업 때문이 아니야.
!!
다른 사람의 이익과 감정을 배려하지 못한 간접적인 이유가 되는 개인적 실수에 대해서는
히히히..
비난할 수 없지.
여기에서 다른 사람에게 주는 영향이란
어떤 행위가 낳는 최초의 직접적인 결과를 염두에 둔 것이야.
탐욕스러워.
방탕해.
너 땜에 망했어.

밀은 어떤 의무도 침해하지 않고 다른 누구에게 손해를 주지 않는 행동으로 인해
사회에 간접적으로 피해를 주는 것이라면
이 정도의 불편은 자유라는 좀 더 큰 목적을 위해 감수해야 한다고 했어.
취기가 돌아 저러는 건데….
이런 문제를 제기하는 사람이 있을 거야.
자신에게만 피해가 가는 행동을 한다고 해도
스스로 잘 살아갈 능력이 모자란 어른을 내버려 두는 게 좋은 것일까?
어린이나 미성년자를 보호하는 것이 적절한 것이라면
나이가 들었어도 스스로 살아갈 능력이 부족한 사람은
사회에서 보호해야 하지 않을까?
그러게요. 복지 차원에서….
하지만 사회가 개인의 사적인 문제에 대해서까지
명령하고 복종을 요구하는 권한은 필요하지 않다고 밀은 보았어.
개인
사회가 개인적인 행동에 간섭해서는 안 되는 이유는
그런 간섭이 잘못된 곳에서 일어날 가능성이 크기 때문이야.
HOSP

많은 사람들은 자기가 싫어하는
행동을 자기에게 해를 주는
것으로 생각하거든.
사회는 개인의 행동에
간섭할 때
감히 대다수의 생각과 다른 생각을 품다니!
꽉
자신의 기호를 도덕적
법칙으로 포장해 놓지.
이건 도덕적으로 옳지 못한 것이다!
이른바 도덕 경찰이라는
것이 그런 것인데
몇 가지 예를 들어 보도록 할게.
첫 번째, 서로 다른 종교적 의견을
가진 사람들이
상대방이 그들의 종교적 금기 사항을
실천하지 않는다는 하찮은 이유로
반감을 가지는 경우야.
이슬람교도들은 그리스도교인이나 유럽인이
돼지고기를 먹는 걸 극도로 증오해.
냠냠~
여기 삼겹살 추가요~.
차림표 삼겹살 항정살 목 살 돼지곱창 양념갈비 뱃 살
저런 불경한 녀석들!!
그것이 그들 종교를 모욕하는
행위라고 생각하거든.
모욕! 모욕이야
꾸라
하지만 왜 그토록
심한 반감을 품는지
합리적으로 이해하기
힘든 면이 있어.
내가 뭘 어쨌다고….
이슬람교의 금기 중 하나인 포도주
마시는 일은 그렇게
혐오스럽게 보지
않거든.
마실래?
포도주
나만 안 먹으면 되지….
어쨌든 이슬람교도가 대부분인
나라에서 어느 누구도 돼지고기를
먹어서는 안 된다고
선언한다면
그 나라에 가면 오래 살긴 하겠군….

대중 여론이 도덕적 권위를 내세워 그렇게 하는 것은 정당한 일일까?
어디까지나 개인의 영역이 있는 법!
그것을 간섭하는 것은….
지글 지글
확실한 것은 개인의 취향과 개인에게만 관계되는 문제에 대해 사회가 간섭할 이유가 전혀 없다는 거야.
이번에는 스페인과 남부 유럽으로 가 보자.
투우의 나라 스페인!
올레~
스페인 사람들은 로마 가톨릭교회가 인정하는 것과 다른 방식으로 신을 숭배하는 것은 불경으로 간주했어.
감히 교황의 말씀을 어기다니!
밀이 살던 시대에 스페인에서는 다른 형식의 종교 예배는 금하고 있었단다.
저리 가!!
또 남부 유럽 사람은 결혼한 성직자를 경멸했어.
이런 정숙하지 못한 사람!!
하지만 그 감정을 개신교도들은 어떻게 생각할까?
우리가 박해자의 논리를 따라간다면 어떨까?
우리는 옳기 때문에 박해할 자격이 있다!
그와 마찬가지로 만약 정의롭지 못한 원리가 우리에게 적용된다면?
당연히 그것을 반대해야죠!
우리 역시 함부로 그런 것을 남에게 적용시키면 안 되는 거란다.

밀은 영국에서도 그런 가능성을 완전히 배제할 수 없다고 했어.
미국의 뉴잉글랜드와 공화국 시절의 영국처럼 청교도들이 권력을 장악한 곳에서는
Holy Bible
공공 오락 시설, 나아가 개인 오락 시설까지 없애 버리려 했고
실제로 상당한 성공을 거두기도 했거든.
특히 음악과 춤, 단체 놀이 또는
기타 기분풀이를 위한 군중집회와 극장이 그 대상이었지.
차력 Show
와!
영국에서는 오늘까지도 도덕과 종교를 내세워 이런 오락을 완강히 거부하는 사람들이 있단다.
그러나 종교적·도덕적 검열을 거친 뒤 허용되는 오락에 대해 나머지 사람들은 어떻게 생각할까?
애개?
오락
남의 일에 신경 쓰지 말고 당신네 일이나 잘해!!
이 소리야말로 자기들이 옳지 않다고 생각하는 어떠한 쾌락도 즐길 수 없다고 억지 주장을 펴는 모든 정부와 대중에게 해 줄 말 아니겠어?

밀은 또 다른 예로 술 판매를 금지하려는 움직임을 들었어.
GNAC
미국의 절반을 차지한 곳과 영국 식민지 한 곳에서 벌어진 일인데
치료용을 제외한 모든 술의 제조를 법으로 금지했단다.
대신 요구르트 드실 분?
그러나 실제 집행이 어려워서 미국 여러 주에서 폐지되었음에도
폐지
영국에서는 이런 법을 제정하기 위한 맹렬한 움직임이 있었던 거야.
금주법
이를 위해 결성된 '연대' 라는 조직의 사무총장이 내세운 논리는 이랬어.
Alliance
사상, 의견, 양심에 관계되는 모든 문제에 대해 법이 관여해서는 안 된다.
사상
의견
양심
국가 고유의 재량권 아래에 있는 사회적 행위나 습관, 관계만이 법의 대상이 될 수 있다.
하지만 그는 제3의 영역, 즉 어느 쪽도 아닌 개인적 행위나 습관에 대해서는 말하지 않았어.
행위
술을 마시는 행위는 확실히 제3의 종류에 속하는 개인적 행위거든.
내 맘이야!
콸~
그는 또 이렇게 말했지.
내 사회적 권리가 다른 사람의 사회적 행위에 의해 침해당할 때면

언제든지 내가 시민으로서 가진 권리에 입각해서 그것을 막을 입법 조치를 요구할 수 있다.
法
독한 술을 판매하는 것 따위는 분명히 나의 사회적 권리를 침해하는 것이다.
왜냐하면 그것은 끊임없이 사회적 무질서를 초래하고 조장하여
안전이라는 나의 기본권을 해치기 때문이다.
안전
또 내가 세금을 내서 도와주어야 하는 불쌍한 사람들을 만들어 내고
요양원
그들을 이용해서 이득을 취하기 때문에 내가 누리는 평등권을 침해한다.
그리고 내 주변을 위험한 것들로 둘러싸고 사회를 쇠퇴하게 만들며 풍속을 문란하게 함으로써
자유롭게 도덕적 · 지적 발전을 도모하려는 나의 권리를 방해한다.
사무총장의 주장은 한마디로 각 개인은 모든 면에서 마땅히 해야 할 바에 따라 행동하지 않으면 안 되는데
사람들은 모두 이를 요구할 수 있는 권리를 가진다는 말이었어.
누구든 사소한 것이라도 어기면 그것은 곧 나의 사회적 권리를 침해하는 것!
이런 괴물스러운 원칙은 그 어떤 자유의 간섭보다 위험해.
의견을 겉으로 드러내지 않은 경우를 제외하고는 자유에 대한 어떤 것도 인정하지 않는 원칙인 셈이니까.

이슬람에서는 왜 돼지고기를 금할까?

많은 학자들이 이슬람에서 돼지고기를 금하는 이유를 여러 가지로 해석하고 있지만, 이슬람 신학자에게 돼지고기를 금하는 이유를 물으면 대답은 한 가지입니다. 바로 하느님께서 《코란》을 통해 지시하셨기 때문이라는 것이죠. 《코란》은 이슬람교의 경전으로 마호메트가 천사 가브리엘을 통해 받은 알라의 계시 내용과 계율 등을 모아 엮은 것입니다.

《코란》에는 다음과 같은 구절이 나옵니다.

"믿는 자들이여, 하느님께서 너희에게 부여한 양식 중 좋은 것을 먹되 하느님께 감사하고 그분만을 경배하라. 죽은 고기와 피와 돼지고기를 먹지 말라. 그러나 고의가 아니고 어쩔 수 없이 먹을 경우는 죄악이 아니라 했으니 하느님은 진실로 관용과 자비로 충만하신 분이니라."

《코란》에서는 동물에 관하여 돼지고기와 죽은 고기, 피 그리고 하느님의 이름이 아닌 다른 이름으로 죽인 동물의 고기는 먹지 말라고 규정해 놓았습니다.

이슬람교의 경전 《코란》.

그러면 왜 하느님께서는 다른 동물들과 달리 돼지만은 특별히 언급해서 먹지 말라고 명령했을까요? 이 때문에 많은 학자들이 저마다의 이유를 들어 설명하고 있습니다. 예를 들어 돼지고기가 보유한 여러 가지 선충들이 인간의 몸에 해롭다든지, 돼지의 습성이 나쁘다든지, 돼지고기는 사막 기후에 부패하기 쉬워서 적합하지 않다든지…….

그런데 특이한 점은 이슬람교와 앙숙이라 할 수 있는 유대교도 돼지고기를 금기시하는 점은 똑같다는 것입니다. 왜일까요?

돼지는 건조한 사막과 초원 지역이 대부분인 중동의 기후와 유목 생활에 부적합한 동물이라고 합니다. 소나 양, 염소 등은 인간이 먹지 않는 풀이나 나뭇잎 등을 먹지만 돼지는 잡식 동물이면서도 주로 인간이 먹는 곡식들을 먹기 때문에 사람이 먹을 것조차 풍부하지 않은 건조 지역에서는 사육하기에 적합하지 않은 것이죠. 또한 돼지는 체질적으로 체온 조절을 위해 물을 필요로 하는데, 마실 물도 부족한 사막에서는 돼지의 이런 특성이 적당하지 않습니다. 돼지는 쟁기를 끌지도 못하고 털로 옷감을 짤 수도 없으며 젖을 짤 수도 없습니다. 여기에 지극히 비위생적인 환경에서 자라나는 돼지는 각종 전염병을 옮길 위험이 높죠. 이러한 이유로 돼지고기 금기는 지역의 특성과 관계가 깊다고 보는 견해가 많습니다.

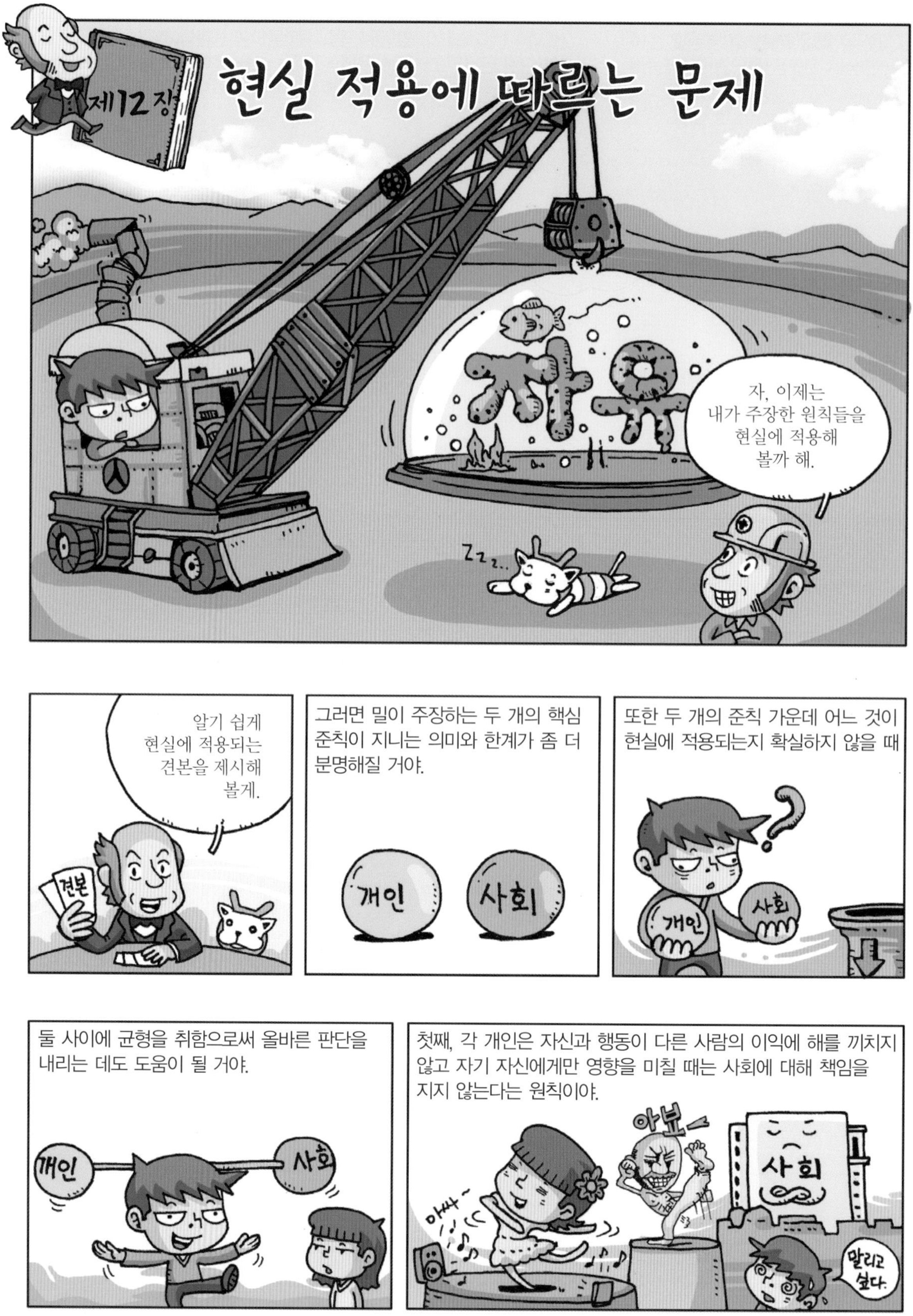
제12장
현실 적용에 따르는 문제
자유
자, 이제는 내가 주장한 원칙들을 현실에 적용해 볼까 해.
Zzz..
알기 쉽게 현실에 적용되는 견본을 제시해 볼게.
견본
그러면 밀이 주장하는 두 개의 핵심 준칙이 지니는 의미와 한계가 좀 더 분명해질 거야.
개인
사회
또한 두 개의 준칙 가운데 어느 것이 현실에 적용되는지 확실하지 않을 때
개인
사회
둘 사이에 균형을 취함으로써 올바른 판단을 내리는 데도 도움이 될 거야.
개인
사회
첫째, 각 개인은 자신과 행동이 다른 사람의 이익에 해를 끼치지 않고 자기 자신에게만 영향을 미칠 때는 사회에 대해 책임을 지지 않는다는 원칙이야.
아싸~
아뵤~
사회
말리고 싶다.

만약 다른 사람의 눈에 어떤 사람의 행동이 불만스럽거나 옳지 않게 보일 때
아싸~
디기디딩딩~
당사자에게 이익이 될 수 있도록 정당하게 의사를 표시할 수 있는 유일한 방법은
우아한 춤을 추면 어떨까?
충고, 훈계, 설득이 아니면 피하는 것뿐이야.
똥이 무서워서 피하냐?
둘째, 준칙은 다른 사람의 이익을 침해하는 행동에 대해서는
부욱~
당사자가 당연히 책임을 져야 한다는 거야.
또 사회가 사회 전체의 이익을 보호하기 위해 필요하다고 판단한다면
그런 행동에 대해 사회적 또는 법적 처벌을 가할 수 있단다.
그러나 다른 사람에게 손해를 입힐 때에만 사회의 간섭이 정당화되기는 하지만
손해
사회
그런 간섭이 언제나 정당화될 수 있다고 생각해서는 안 돼.
사람이 살다 보면 합법적인 목표를 추구하는 과정에서
합법 합법
불가피하게 다른 사람에게 아픔이나 상실감을 줄 수 있고
미안...
합법 합법
또 그들이 충분히 희망을 걸어 봄직한 일들을 무산시키는 경우도 있거든.
합법 합법

예를 들면 시험에 합격하는 사람이나
야호~ 붙었다!
합격자
서로 원하는 대상을 놓고 다툰 결과 선택받는 사람이 그렇지.
이들은 모두 상대방의 패배나 실망을 통해 과실을 따게 되는 거니까.
그러나 결과가 어떻든 이런 방식으로 자기가 원하는 목표를 추구하는 것이 인류 전체에는 이익이 된단다.
목표
만약 경쟁에서 이긴 쪽이 사회 전체의 이익과 어긋나는 방법, 즉 사기나 강압 같은 것을 쓴 경우에는 간섭할 수 있지.
먼저 사회적 행위로서 상거래를 살펴보자.
딸기
누구든지 어떤 종류의 물건이든 대중을 상대로 팔게 되면
확!
그 행위는 다른 사람들과 사회 일반의 이익에 영향을 끼치게 돼지.
그러므로 그 사람의 행위는 원칙적으로 사회의 법률적 관할 아래로 들어가게 돼.
법
따라서 한때는 가격을 고정시키고 생산 과정을 규제하는 것이 정부의 의무로 간주되기도 했어.
butter
그러나 가장 싼 값에 가장 높은 품질의 물건을 살 수 있는 방법은
50%↓

생산자와 판매자에게
완벽한 자유를 부여하고
MART
소비자에게 다른 곳에서 상품을
구매할 수 있는 동등한 자유를
부여하는 거야.
이로써 생산자와 판매자를
견제할 수 있게 되는 거지.
이것이 바로
자유 거래의
원리란다.
생산·판매
소비자
밀은 이것이 개인 자유의
원리와 근거는 다르지만
그 바탕은 튼튼하다고 보았어.
자유
거래
거래 또는 거래 목적의 생산물에 대해
제한을 가하는 것은 당연히 자유를
구속하는 것이란다.
사회
제한
그리고 자유를 구속하는
것은 그 자체가 나쁜 것이지.
그래서 밀은 이런 제한을
좋지 않은 일이라고 보았단다.
제한을
풀어 줘요!
제한
그러나 자유 거래론의
한계에서 발생하는
문제가 있어.
예를 들어 불량품으로 인한 사기를 방지하기 위해
공권력이 어느 정도로 규제하면 좋은가,
불량
100%
공권력
규제
또 고용주가 위생을 위한
예방 조치나 위험한 작업장에서
일하는 사람들을
위험!
보호하기 위한 조치를 어느 정도
취하도록 간섭하는 것이 좋은가
하는 것이지.
이런 문제들은
통제하는 것이
정당하다고 본단다.

반면에 기본적으로
자유를 제한하는
조치들이 있어.
간섭
예를 들어 금주법,
중국으로부터의 아편
수입 금지,
독약의 판매를 제한하는
조치 같은 것들이야.
Maine Law
鴉片
Poison
이처럼 특정한 물건을 획득하는
것을 불가능하게 하거나
안 돼!
어렵게 만들기 위해 간섭하는 모든
경우가 이에 해당하지.
통과
제재
규제
DANGER
밀은 이런 종류의 간섭은
허용될 수 없다고 보았어.
그것이 생산자나 판매자가
아니라 구매자의 자유를
침해하기 때문이지.
내가 사고
싶다는데 왜!
뭐
살건데?
독약 판매를
예로 들어 보자.
경찰의 역할이 어디까지인가 하는
질문이 있을 수 있어.
즉 범죄나 사고를 미리 막기
위해 자유를 침해하는 것이
어느 정도까지 허용될 수
있는가 하는 것이지.
1
2
3
범죄가 발생하기 전에
예방 조치를 취하는 것은 정부의
기능 중 하나인데
밀은 그것이 남용되거나
개인의 자유를 위협할 가능성이
훨씬 크다고 보았어.

만약 독약이 오직 살인의 용도로만 구매된다면 그것의 제조, 판매를 금지하는 것은 당연해.
하지만 선의를 가지고 유용한 목적으로 독약을 필요로 하는 사람도 있기 때문에
독약으로 치료제를 만들 수 있죠.
일률적으로 금지하는 것은 바람직하지 않아.
그렇다면 어느 정도까지 규제를 해야 자유의 원리와 서로 충돌하지 않을까?
규제
예를 들어 어떤 약품이 위험하므로 주의해야 한다는 내용을 담은 딱지를 붙이도록 하는 조치는
위험
DANGER
자유를 침해하지 않고 실행될 수 있는 경우지.
조심해야지….
조심…
독약을 사용해서 범죄를 저지르는 것을 억제하면서도
다른 목적으로 그것을 사용하려는 사람들의 자유를 침해하지 않을 유일한 방법은
벤담이 말한 '사전에 법적 증거로서 구성 요건을 갖춘 증거'를 제시하도록 하는 것이란다.
Preappointed evidence
뭔 말이래?
이를테면 계약을 맺을 때
법에 따라 계약을 이행한다는 증명이 필요한데
法
이런 이행 조건으로 서명, 증인 입회 같은 형식적인 절차를 밟도록 요구하는 거야.

이것으로 계약이 실제로 이루어졌다는 증거가 되고
계약
그 과정에서 법적으로 문제 될 것이 없다는 사실을 입증하는 증거가 되기도 하지.
이로써 계약 체결이….
계약
범죄에 이용될 수 있는 물건을 팔 때도 마찬가지야.
판매자가 거래가 이루어진 실제 시간, 구매자의 이름과 주소, 판매된 물건의 정확한 내용과 수량
10시 10분
찰리 손튼
청산염
400병
그리고 그 사람이 문제의 물건을 사는 이유를 물은 뒤 장부에 기록하는 거지.
감사합니다~.
밀은 이러한 규제가 일반적으로 상품을 구입하는 사람에겐 장애가 되지 않지만
이 정도 절차야 간편한 거죠.
부적절하게 사용하려고 생각하는 사람에게는 여러 모로 장애가 될 거라고 보았어.
독사과를 만들 수가 없잖아….
하지만 사회가 범죄 예방을 위한 사전 조치를 취할 권리를 가진다는 것은
法
자기에게만 관계되는 잘못된 행동에 대해서도 간섭할 수 있음을 의미하지.
예를 들어 대개의 경우 술에 취했다고 해서 법이 간섭할 일은 없어.
내 돈 주고 내가 먹는다는데!
끄억
그러나 술에 취해 다른 사람에게 폭력을 휘둘러 유죄 판결을 받은 사람이
유죄!
퍽
酒

또 술에 취한 것이
적발되면 상황이 다르지.
개인적으로 특수한 법적 제한을 가하는 것이 당연해.
또한 게으르다고
법적으로 처벌할 수는
없지만
게으름이 원인이 되어
자녀 양육과 같은 의무를 이행하지
않는다면
3일을 굶었어요….
강제로 그 의무를 이행할 수
있도록 해야 해.
또 다른 의문이 있어.
비난이 되는 행동이지만 결과가 자신에게만 영향을 줄 때…
개인의 자유를 존중하는 차원에서
사회가 금지하거나 처벌할 수 없는
경우는 어떨까?
당사자가 자유롭게 할 수 있는
일이라고 해서
콸
다른 사람들 또한 자유롭게 그런
일을 하도록 부추겨도 되는 걸까?
자네도 마셔 보라고!
이 질문에 답하기는 쉽지 않지.
다른 사람에게 어떤 일을 하라고 권유하는
것은 엄격한 의미에서 자기에게만 관계되는
행동이라 할 수 없거든.
권유
누군가에게 충고하고 권유하는 것은
일종의 사회적 행위이기 때문에
내 키가 어때서!
연두 넌 작으니까 키높이 신발로 바꾸면 어떨까?

다른 사람에게 영향을 끼치는 다른 일반적인 행동과 마찬가지로
사회적 통제를 받아야 한다고 볼 수도 있지.
그러나 조금 더 생각해 보면 그런 일이 개인 자유의 영역에 포함되지 않는다 하더라도
잠깐만!
개인 자유 원리의 연장선상에 있기 때문에 그 판단은 옳지 않아.
흥!
툭툭-
사람들이 자기에게만 관계되는 일에 대해
내가 뭘 먹든 상관 마!
히히히-
스스로의 책임 아래 최선이라고 생각하고 행동할 수 있으려면
개구리가 좋을까? 두꺼비가 좋을까?
어떤 게 가장 좋은지 서로 의논할 자유도 누릴 수 있어야 하거든.
황소개구리가 좋아-
월간잡식
그러나 충고한다면서 개인적 이득을 꾀한다면?
돈
예를 들어 사회가 나쁜 일이라고 규정하는 일을 부추김으로써
몸에 좋은겨…
생계 벌이를 하거나 금전적 이득을 취하는 경우에는 이야기가 달라지지.
이렇게 되면 복잡한 변수가 하나 늘어난 셈이 되는 거니까.
간섭을 해 말아?
예를 들어 간음과 도박에 대해서도 관대하게 보아야 할까?

이 경우 앞에서 말한 두 준칙 중 어디에 속하는지가 명확하지 않지.
양쪽 모두 내세울 주장이 있거든.
개인
사회
관용의 편에선
생계와 이윤을 위한 직업인데 이게 범죄가 될 수 있겠소?
관용
사회는 한 개인만 관계되는 일에 대해서는
그것이 무엇이든지 잘못된 것이라고 결정할 권한을 갖고 있지 않잖아.
사회는 그런 일을 하지 못하도록 설득하는 것 이상을 할 수 없어.
그렇게 놀기만 해도 될까?
됐거든~?
이와 반대로
비록 사회와 국가가 그런 결정을 할 권한은 없지만
반대
그것이 나쁜 일이라면 최소한 논쟁을 붙일 권한은 있다!
내 생각은 이래.
뭔데요?
비록 도박을 할 자유는 인정하더라도
공개적인 도박장을 허용해서는 안 된다는 것.
비록 이런 조치가 효과적이지 못하고, 경찰에게 독재적인 권력이 주어진다 해도 비밀 도박장은 운영되겠지만

그들이 그 작업을 비밀리에 할 수밖에 없기 때문에 그것을 추구하는 사람 외에는 아무도 그것을 모르겠지?
여기 있는 걸 누가 알겠어?
난 알지.
나도..
사회는 그 이상의 간섭을 목적으로 해서는 안 돼.
아니 그럼, 간음한 사람과 도박꾼은 놔두고
포주나 도박장 주인만 처벌을 해야 하나요?
옳은 지적이지만 결론 내리긴 어려워.
또 다른 문제도 있어.
국가가 일단 어떤 행위를 허락하면서도
사람들이 그들의 이익에 어긋나는 일을 하지 않도록
간접적으로 설득하는 것이 과연 합당할까?
제한
예를 들어 국가가 음주를 제한하기 위해 술값을 올리거나
주류세를 많이 매겨야지!
정부
술 파는 곳을 제한함으로써 술을 구입하기 힘들게 하는 조치를 취하는 게 옳은가 하는 문제 말이야.
술 파는 데가 어디야?
이 문제 역시 여러 상황을 구분할 필요가 있어.
밀은 술의 구입을 더욱 힘들게 하려는 것을 유일한 목적으로 삼아 세금을 올리는 것은
정부
세금

전면 금지나 마찬가지라고 보았어. 정도 차이만 있을 뿐이지.
차라리 먹지를 말라고 해!
만약 전면 금지가 정당하지 않다면 이 역시 정당하지 않지.
인상된 가격을 따라갈 능력이 없는 사람에겐 금지나 마찬가지니까.
특권층만 먹으라는 거냐!!
반대
그리고 능력이 있는 사람에겐 특정 취향을 이유로 벌금을 내는 거나 같은 것이고.
술 한잔 먹는다고 비싼 세금을 물리다니…
누구든지 자기가 번 돈으로 법적 · 도덕적 의무를 다한 뒤에
세금
법
그 나머지로 자신이 원하는 쾌락을 위해 돈을 쓰는 것은 어디까지나 개인적인 문제이므로
내 맘이야~.
활활~
그 사람의 판단에 맡겨야 한다고 생각하겠지?
아하~그렇다면 술값을 올린다는 건
흠…
국가가 수입을 늘리기 위해 특별 과세를 하는 거군요!
그러나 비난할 수만은 없는 면이 있어.
국가가 재정을 유지하자면 과세는 꼭 필요해.
TAX
대부분의 국가에서 과세의 상당 부분은 간접세거든.
막상막하!
직접
간접
그러므로 국가가 일부 사람에게는 금지와 같을지도 모를 벌금을
세금을 줄여 달라!

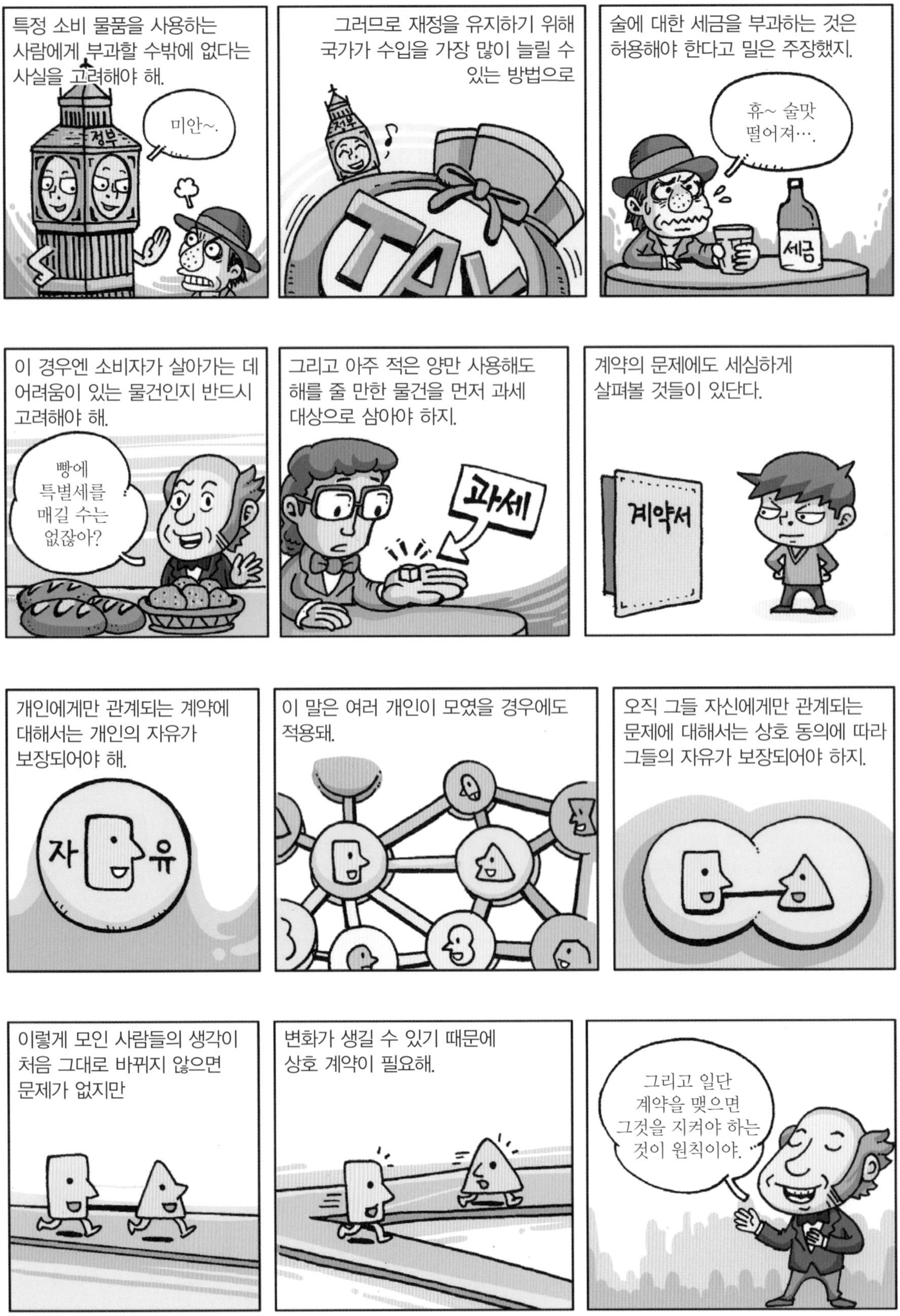
특정 소비 물품을 사용하는 사람에게 부과할 수밖에 없다는 사실을 고려해야 해.
정부
미안~.
그러므로 재정을 유지하기 위해 국가가 수입을 가장 많이 늘릴 수 있는 방법으로
정부
TAX
술에 대한 세금을 부과하는 것은 허용해야 한다고 밀은 주장했지.
휴~ 술맛 떨어져….
세금
이 경우엔 소비자가 살아가는 데 어려움이 있는 물건인지 반드시 고려해야 해.
빵에 특별세를 매길 수는 없잖아?
그리고 아주 적은 양만 사용해도 해를 줄 만한 물건을 먼저 과세 대상으로 삼아야 하지.
과세
계약의 문제에도 세심하게 살펴볼 것들이 있단다.
계약서
개인에게만 관계되는 계약에 대해서는 개인의 자유가 보장되어야 해.
자 유
이 말은 여러 개인이 모였을 경우에도 적용돼.
오직 그들 자신에게만 관계되는 문제에 대해서는 상호 동의에 따라 그들의 자유가 보장되어야 하지.
이렇게 모인 사람들의 생각이 처음 그대로 바뀌지 않으면 문제가 없지만
변화가 생길 수 있기 때문에 상호 계약이 필요해.
그리고 일단 계약을 맺으면 그것을 지켜야 하는 것이 원칙이야.

하지만 이런
원칙에도
예외는 있단다.
冷
예외
제3자의 권리를 침해하는 계약에 대해서는 준수할 의무가 없는 것은 기본이고
또한 자신을 해치는 계약도 그 의무를 준수할 필요가 없어.
계약
예를 들어 자신을 노예로 팔아야 하거나 팔리도록 허용하는 계약은 무효이고 강제할 수 없지.
신체
포기
왜냐하면 개인의 자발적인 행동에 간섭해서는 안 되는 이유는
바로 그 사람의 자유를 지키기 위해서거든.
자
유
그런데 자신을 노예로 파는 것은 자유를 포기한다는 말이잖아?
자유롭지 않을 자유까지 허용할 수는 없는 거지.
밀은 어떤 경우에도 취소할 자유가 없는 계약은 없다고 했어.
내겐 취소할 자유가 있소!
해지
그러나 '결혼'이라는 계약에 대해서는 훔볼트와 생각이 달랐어.
결혼과 같은 계약의 경우
부케
당사자 두 사람의 감정이 조화를 이루지 않으면
그 목적을 달성할 수 없는 특수성이 있다고 훔볼트는 보았지.
싫은데 어떻게 계속 살아?
나는 너랑 평생 살고픈걸…

따라서 결혼 생활을 끝내고
싶을 때는
둘 가운데 한 사람만이라도 명확하게
그 뜻을 밝히면 그것으로 계약이
파기될 이유가 된다고 했어.
이혼하자.
이혼
오케이~
그러나 이런
주제는 너무나
중요하고
복잡해.
어째서
요?
바로 아이들 때문이야!
결혼처럼 제3자를 탄생하게
하는 거라면
응애~.
두 계약 당사자에게 제3자에
대한 의무가 발생하게 되잖아.
의무
그 의무의 이행 또는
그 이행의 형태는
아기를 기르는
것을 말하는
거겠지?
처음 두 계약 당사자의 관계가
지속되는지 여부에 따라
크게 영향을 받을
수밖에 없어.
물론 계약이 지속되기를
원하지 않는 사람의 입장을
무시하면서까지
싫다는데
왜 그래!!
이런 의무를 지켜야 한다고 볼 수는
없고 또 그것을 인정할 수도 없지만
나도
마찬가지야!!
그 의무 때문에 문제가 생기는
것은 분명해.
으아앙~
그 의무는 법적으로는
아무 문제도 없지만
법적으로
문제없지!

도덕적 의무라는 측면에는
큰 영향을 끼친다는 거지.
엄마 아빠 미워….
흑흑…
밀은 아이의 앞날에 큰 영향을 끼칠지도
모르는 조치를 취하기 전에
이 모든 상황에 대한
고려를 해야 한다고
말했어.
이혼
그리고 만일 그가 아이의 이익을
적절히 고려하지 않는다면
그는 잘못된 것에 대해 도덕적
책임을 져야 한다고 했지.
또한 국가가 자신에게만 특별히
관계되는 일에는 개인의 자유를
존중해야 하겠지만
다른 한편으로 개인이 다른 사람에 대하여
권력을 행사하는 경우에는
국가가 그의 권력 행사를 감시하고 통제해야
할 의무가 있다고 보았어.
그런데 이런 의무 사항이
가족 관계에서는 전적으로 무시되고
있지.
밖에서 안 된다면 안에서….
가족
가족 관계는 인간의 행복을
결정적으로 좌우한다는 점에서
행복
다른 모든 관계를 합친 것보다
더 중요한데도 말이야.
가족
회사
학교
지역
상업
군대

먼저 남편들이 아내에 대해 거의 폭군과 같은 수준의 권력을 휘두르는 문제가 있어.
이걸 그냥!
밀은 이런 해악을 제거하려면 아내도 다른 모든 사람과 마찬가지로 동등한 권리를 누리고
권리
법의 보호를 받을 수 있도록 해야 한다고 주장했어.
더 심각한 것은 아이들 문제야.
아이들의 인권!
대부분의 부모들은 자녀를 자신의 일부라고 생각하면서
너야말로 내 맘대로….
그들에게 절대적이고 배타적인 통제권을 행사하지.
그 결과 법이 조금이라도 간섭하면
어허!!
엄청 불편해해.
이건 미성년자에 대한 나의 권리야!!
교육 문제 역시 마찬가지야.
국가가 시민으로 태어난 모든 사람들에게 일정 수준 이상의 교육을 받도록
요구하고 강제하는 것은 당연한 권리야.
물론 부모들이 자녀에게 적절한 교육을 시키는 것이 신성한 의무인 것도 당연하지.

그러나 그 누구도 아버지들이 실제
그 의무를 감당하도록
교육을 시키시오!
교육
강제해야 한다고는 말하지 않는단다.
뭐?
아니, 강아지 교육을…
자녀에게 교육을 시키도록
노력과 희생을 요구하기는커녕
내가 이걸 왜 해!
노력
희생
무상 교육의 기회가 주어질 때도
공짜
그것을 받아들일지 여부는
아버지가 결정하지.
해, 말아?
공짜
부모가 이런 의무를 다하지 못하면 국가가 나서서 그들이 최대한 의무를 준수하도록 요구해야 해.
그러나 밀은 정부가 모든 아이들이 좋은
교육을 받는 쪽으로 결정을 내리더라도
그 교육을 직접 담당하려고
해서는 안 된다고 했어.
국가 교육
교육의 다양성 역시 말로 표현할
수 없을 만큼 중요한 문제거든.
학원
독학
직업 교육
공립 교육
대안교육
지역 교육
온라인 교육
개인 교습
평생 교육
국가가 나서서 교육을
일괄 통제하는 것은
국어
수학
물리
철학
음악
정부
미술
외국어
생물
사람들을 똑같은 하나의 틀에 맞추어 길러 내려는 방편에 불과하단다.
국가는 단지 교육을 받을 수
있도록 배려를 할 뿐이야.
교육

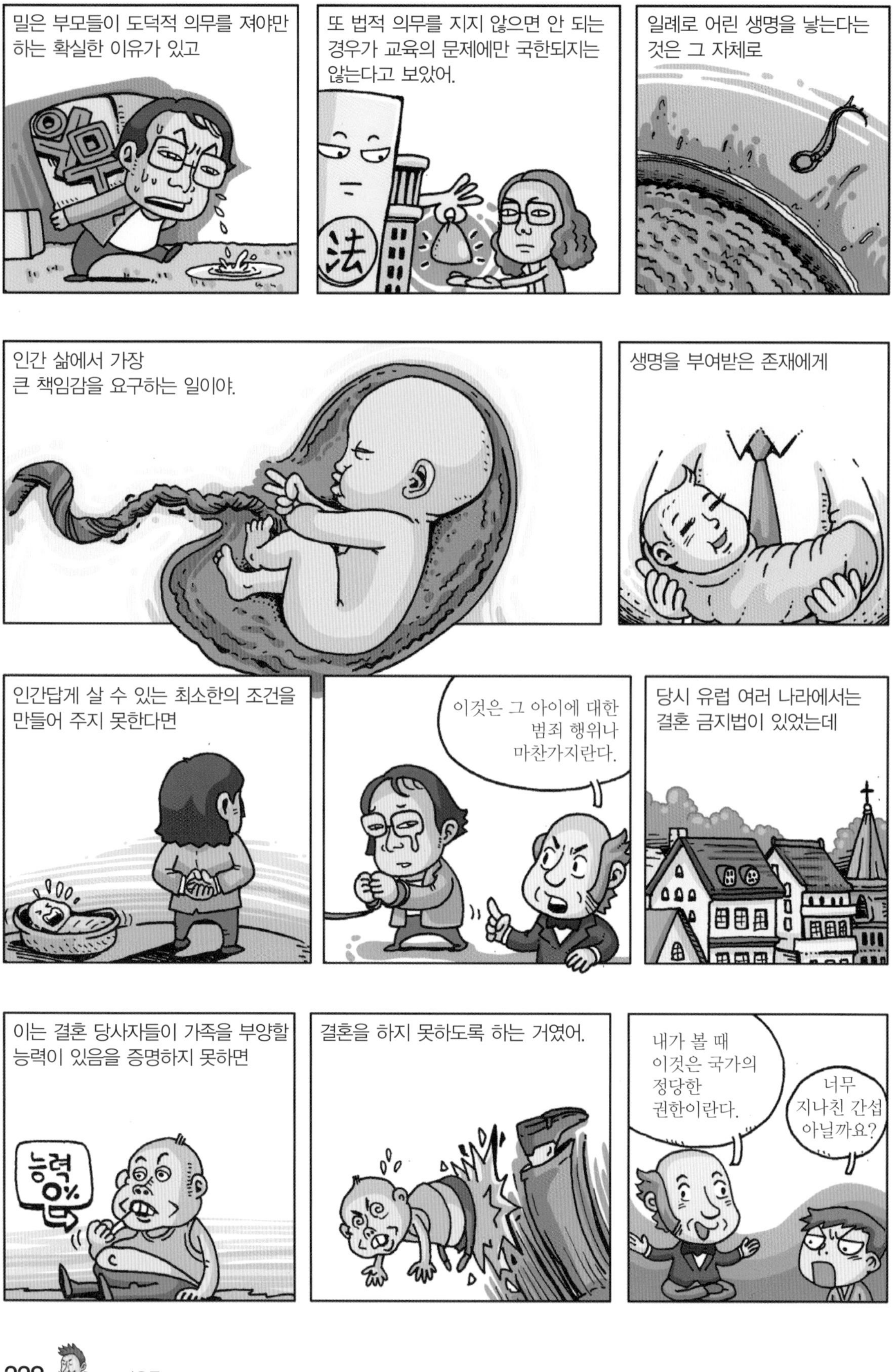
밀은 부모들이 도덕적 의무를 져야만 하는 확실한 이유가 있고
또 법적 의무를 지지 않으면 안 되는 경우가 교육의 문제에만 국한되지는 않는다고 보았어.
法
일례로 어린 생명을 낳는다는 것은 그 자체로
인간 삶에서 가장 큰 책임감을 요구하는 일이야.
생명을 부여받은 존재에게
인간답게 살 수 있는 최소한의 조건을 만들어 주지 못한다면
이것은 그 아이에 대한 범죄 행위나 마찬가지란다.
당시 유럽 여러 나라에서는 결혼 금지법이 있었는데
이는 결혼 당사자들이 가족을 부양할 능력이 있음을 증명하지 못하면
능력 0%
결혼을 하지 못하도록 하는 거였어.
내가 볼 때 이것은 국가의 정당한 권한이란다.
너무 지나친 간섭 아닐까요?

그런 법이 과연 적절한지에 대한 논란이야 있을 수 있겠지만
법
그것이 개인의 자유를 침해한다고 볼 수는 없거든.
그건 바로 앞으로 태어날 어린 생명에게 영향을 주기 때문에
정부가 간섭해야 하는 거야.
이제 나의 자유론을 끝내야 할 때가 되었어.
짝짝…
우아, 벌써?
벌써는 무슨….
힘들었어…
마지막으로 자유를 침해하지는 않지만
자유
정부가 간섭하면 안 되는 경우를 따져 보자.
이런 경우는 세 가지가 있어.
첫째, 정부가 하기보다 개인에게 맡겼을 때 그 일을 더 잘할 수 있는 경우야.
일반적으로 말해서 어떤 종류의 사업을 할지
SCOPE Air
또 누가 어떻게 그 일을 할 것인지 결정하는 문제에서
개인적으로 직접 이해관계를 가진 당사자보다 적합한 사람은 없겠지?
내 문제니까!

둘째, 비록 개인들이 평균적으로 정부의 관리들보다 그 일을 더 잘하지 못하더라도
와글
와글
그 일을 하는 것이 그들 자신의 정신적 교육을 위한 수단이 되는 경우가 있어.
사랑의 빵
이런 경우에도 그 일들이 정부에 의해서보다는 개인에 의해 행해지는 것이 바람직해.
배심원 역할이라든가 자유롭고 민주적인 지방 및 지역 자치 기관의 활성화
증인
배심원
그리고 사회단체나 자선 기관에 자발적으로 관여하는 일 등은 이런 맥락에서 중요하지.
이것은 실제로 시민에 대한 특수한 훈련이고
참여
자유로운 대중에 대한 정치 교육의 실제적인 부분이야.
정치
그들을 개인적 · 가족적 이기주의의 좁은 세계로부터 불러내는 것이고
그들로 하여금 공동의 이익에 대한 이해와 공동 관심사를 다루는 데 익숙하게 하는 것이지.

이러한 습관과 힘이 없이는 자유 체제를 보존하기 어려워.
자유
정부의 간섭을 반대하는 세 번째 이유는 이미 정부의 권력이 비대해진 상태에서
The Government
만일 도로, 철도, 은행, 보험 회사, 대기업, 대학
그것을 더 강화시키는 것은 큰 해악이기 때문이야.
기업
대학
정부
보험 회사
자선 단체
자치 단체
그리고 공공 자선 단체, 지방 자치 단체들이 모두 중앙 정부 속으로 편입된다면?
그리고 이 직원들이 모두 정부의 봉급을 받고 의존하게 된다면?
이런 나라들은 아무리 언론의 자유와 민주적 입법 체제가 발전한다 하더라도
민주
자유
이름뿐인 자유 국가 이상이 되지 못할 거야.

또한 정부의 모든 부서가 가장 유능한 사람들로 채워진다면
에헴~.
그 해악은 더욱 커질 거야.
왜 그러죠? 잘 이해가 안 되네….
유능한 사람이 행정을 해야 나라가 잘 돌아가는 거잖아요?
물론 그건 당연하겠지만
그렇게 되면 보통 사람들은 일상생활에 지침을 얻기 위해 정부만 쳐다보게 될 것이고
뭘 봐….
정부
유능한 인재 역시 개인의 출세를 위해서 정부에만 목을 매게 되겠지.
이렇게 되면 일반 시민들은 관료들이 일하는 방식에 대해 비판하거나 견제하기 어려워지게 돼.
관료
유능하고 막강한 관료 체제가 되기 때문에
관료
개혁 성향의 지도자를 내세운다고 해도
관료들의 이익과 반대되는 개혁은 시행하지 못하게 되지.
틱틱

이런 경향을 견제할 수 있는
유일한 길은 뭘까?
혼자서는
무리야….
그리고 정부 기구 자체의 능력을
일정 수준 이상으로 끌어올릴 수 있는
유일한 자극제는 어떤 것일까?
밀은 바로 대등한 능력을 가진 사람들이 주의 깊게
비판을 가하는 것이라고 보았어.
관료
밀은 정부가 사람들의 일상 활동에
너무 간섭하지 않고
이익을 극대화하는 방법은
효율성을 지키면서
권력은 최대한 분산하고
권력
정보는 가능한 한
중앙으로 집중시킨 후
정보
그곳에서 분산시키는 것이라고
보았단다.
정부
모든 국가의 힘은
결국
국가를 구성하는
개인에게서 나오는 거야.

국가가 시민들의 내면적 성장과 발전을 중히 여기지 않고
사소한 실무 행정 능력이나 세세한 업무 처리를 위한 기능적 효율만 우선시 한다면
시스템이 최고지!
WIN
그리고 국가의 손바닥 위에서 말이나 잘 듣는
온순한 도구처럼 만들기 위해 시민들을 끌고 간다면
쫄쫄~
평범하고 보통인 사람들은 크고 위대한 일은 전혀 성취할 수 없는 현실에 직면하게 될 거야.
그래서 밀은 개개인의 가치를 지켜 주는 방법을 찾으려고 한 것이란다. 그게 밀이 《자유론》을 쓴 가장 큰 이유지.
《자유론》은 여기까지야.
나도 내 행복을 위해 자유를 지켜야겠어!
타인에게 해를 주지 않는 선에서 말야.
빨리와
2008

〈우리나라의 의무 교육 현황〉

의무 교육이란 일정한 연령에 이른 아동이 일정 기간 동안 학교에서 교육을 받도록 의무화하는 교육을 뜻해요. 의무 교육은 교육의 기회를 균등하게 보장하기 위한 것이죠. 근대 이후 나라마다 국민의 사회적 신분이나 경제적 지위의 차별 없이 교육을 받을 권리를 인정했어요. 그리고 국민의 권리를 보호하기 위하여 학교를 설치하여 교육의 기회를 평등하게 주는 교육 제도를 세웠어요.

우리나라 초등 교육의 의무 교육은 1948년 헌법에 '모든 국민은 균등하게 교육을 받을 권리가 있다.', '적어도 초등 교육은 의무이며 무상으로 한다.'고 규정하면서 시작되었습니다. 1949년에 제정, 공포된 교육법은 '모든 국민은 6년의 초등 교육을 받을 권리가 있다. 그리고 그 보호자는 아동에게 초등 교육을 받게 할 의무가 있다.'고 규정하고 있어요.

중학교 의무 교육의 경우 1984년 교육법 8조에 '모든 국민은 6년의 초등 교육과 3년의 중등 교육을 받을 권리가 있다.'고 규정함으로써 중학교 의무 교육의 법적인 기초가 마련되었어요. 1985년부터 순차적으로 중학교 의무 교육이 실시, 확대되어 2004년부터 전국의 모든 중학교 학생들이 무상 의무 교육을 받을 수 있게 되었답니다.

• 우리나라의 의무 교육을 규정한 헌법 제31조의 규정은 다음과 같아요.

1. 모든 국민은 능력에 따라 균등하게 교육을 받을 권리가 있다.
2. 모든 국민은 그 자녀에게 적어도 초등 교육과 법이 정하는 교육을 받게 할 의무가 있다.
3. 의무 교육은 무상으로 한다.

또한 교육법 제8조는 의무 교육에 대해 다음과 같이 명시하고 있습니다.

1. 모든 국민은 6년의 초등 교육과 3년의 중등 교육을 받을 권리가 있다.
2. 국가와 지방 자치 단체는 그 교육을 위하여 필요한 학교를 설치 · 운영하여야 한다.
3. 모든 국민은 그 보호하는 자녀에게 상기 교육을 받게 할 의무가 있다.

존 S. 밀 자유론

홍성자 글 | 이주한 그림

01 《자유론》을 쓴 사람은 누구일까요?

① 프란시스 베이컨 ② 장 자크 루소 ③ 존 로크
④ 존 스튜어트 밀 ⑤ 토마스 모어

02 밀은 문명사회에서 구성원의 자유를 침해할 수 있는 경우는 오직 한 가지라고 주장했습니다. 어느 경우인가요?

① 자기 보호를 위해 필요할 때
② 결과가 좋지 못할 것으로 예상될 때
③ 그 방식이 최선의 결과를 낳을 수 있을 때
④ 상황에 대해 더 정확하게 판단할 수 있을 때
⑤ 사회 전체에 이익이 될 때

03 밀이 '자신의 몸과 정신에 대해서 각자가 주인이며 절대적 자유를 누릴 자격이 있다.'고 주장한 사람을 모두 고르세요.

① 미성년자 ② 어린이 ③ 성인 남자
④ 미개사회의 성인 남자 ⑤ 성인 여자

04 밀의 자유에 대한 사상으로 옳지 않은 것은 무엇일까요?

① 과학적·도덕적·신학적 모든 주제에 대해 생각과 감정의 자유를 누려야 한다.

② 의견을 표현하고 출판하는 일은 다른 사람과 관련이 있기 때문에 자유가 제한되어야 한다.

③ 내 눈에 어리석거나 잘못되거나 틀린 것으로 보일지라도 다른 사람의 자유를 간섭해서는 안 된다.

④ 남에게 해가 되지 않는 한, 그리고 강제나 속임수에 의해 끌려 나온 경우가 아니면 모든 성인은 어떤 목적의 모임이든 자유롭게 결성할 수 있다.

⑤ 자기 식대로 살아가다 일이 잘못돼 고통을 당할지라도 각자 자신이 원하는 대로 자신의 삶을 꾸려 나갈 자유를 누려야 한다.

05 이것은 처음에는 국가로부터 종교를 강요받지 아니할 개인의 자유를 보장하려고 했던 것에서 출발했습니다. 현대에 와서는 종교적 차원뿐만 아니라 윤리적 사상, 신념에 대한 속마음의 자유를 일컫는 말입니다. 무엇일까요?

---

06 밀은 대다수 세상 사람들의 생각과 다른 의견을 주장하는 사람이 있을 때 어떤 자세를 가져야 한다고 주장했나요?

① 다른 의견에는 무언가 들어볼 만한 내용이 있으므로 귀를 기울여야 한다.

② 대다수 세상 사람들의 의견이 옳을 경우에는 무시한다.

③ 그리스도교 윤리처럼 전적으로 옳은 의견에 대한 다른 의견은 무시한다.

④ 다수 의견을 가진 사람들이 다른 의견을 가진 사람들을 인내심을 가지고 설득한다.

⑤ 자신의 의견이 절대적으로 옳다는 확신을 가지고 토론에 임한다.

07 밀이 다음과 같은 표현을 통해 강조하고자 한 자유는 무엇일까요?

전체 인류 가운데 단 한 사람이 다른 생각을 가지고 있다고 해서, 그 사람에게 침묵을 강요하는 일은 옳지 못하다. 그것은 마치 어떤 한 사람이 자기와 생각이 다른 나머지 사람 전부에게 침묵을 강요하는 것만큼이나 용납될 수 없다. 그것은 현재 세대뿐만 아니라 미래의 인류에게까지 강도질을 하는 것과 마찬가지이다.

① 생각의 자유 ② 행동의 자유 ③ 신체의 자유

④ 종교의 자유 ⑤ 결사의 자유

08 밀이 다음과 같은 문제를 가져오리라 우려한 것은 무엇일까요?

개인의 삶 구석구석에 침투해, 마침내 영혼까지 통제하면서 도저히 빠져나갈 틈을 주지 않는다. 사회는 이런 방법을 통해 다수의 삶의 방식과 일치하지 않는 그 어떤 개별성도 발전하지 못하도록 방해한다. 급기야는 모든 사람의 성격이나 개성을 사회의 표준에 맞도록 획일화시키려고 한다.

---

09 밀이 어떤 문제에 대해 가능한 한 가장 정확한 진리를 얻는 방법이라고 본 것은 무엇일까요?

---

10 밀이 전체 인류 가운데 단 한 사람이 다른 생각을 가지고 있더라도 그 사람에게 침묵을 강요하는 것이 정당하지 않다고 본 이유는 무엇일까요?

정답

01 ④ / 02 ①

03 ③, ⑤ : 밀은 문명사회의 성인에 대해서만 절대적인 자유를 누릴 수 있다고 보았습니다. 어린이와 미성년자, 미개사회의 성인은 이 원칙에서 제외된다고 주장했습니다.

04 ② : 밀은 표현의 자유와 출판의 자유 역시 생각의 자유만큼이나 중요하고 생각의 자유와 분리하여 생각할 수 없으며 생각의 자유를 보호해야 하는 똑같은 이유에서 보호되어야 한다고 보았습니다.

05 양심의 자유 / 06 ① / 07 ①